Editora Charme

LIVRO UM

HERDEIRO REBELDE

Autoras Bestseller do *Nev*

VI KEELA

PENELOPE

Este livro é um trabalho de ficção.
Todos os nomes, personagens, locais e incidentes são produtos da imaginação da autora.
Qualquer semelhança com pessoas reais, coisas, vivas ou mortas,
locais ou eventos é mera coincidência.

1ª Impressão 2021

Modelo da capa: Micah Truitt
Fotógrafo: Leonardo Corredor
Designer da capa: Sommer Stein, Perfect Pear Creative, www.perfectpearcreative.com
Adaptação da capa e Produção Gráfica - Verônica Góes
Tradução - Alline Salles
Revisão - Equipe Charme

Esta obra foi negociada por Brower Literary & Management.

FICHA CATALOGRÁFICA ELABORADA POR
Bibliotecária: Priscila Gomes Cruz CRB-8/8207

K26h Keeland, Vi

Herdeiro Rebelde/ Vi Keeland; Penelope Ward;
Tradução: Alline Salles; Revisão: Equipe Charme;
Adaptação da capa e produção gráfica: Verônica Góes
– Campinas, SP: Editora Charme, 2021.
256 p. il.

Título original: Rebel Heir

ISBN: 978-65-5933-017-1

1. Ficção norte-americana | 2. Romance Estrangeiro -
I. Keeland, Vi. II. Ward, Penelope. III. Salles, Alline. IV. Equipe Charme. V. Góes, Verônica.
VI. Título.

CDD - 813

www.editoracharme.com.br

Editora Charme

LIVRO UM

HERDEIRO REBELDE

Tradução: Alline Salles

Autoras Bestseller do *New York Times*

VI KEELAND
PENELOPE WARD

CAPÍTULO 1

Gia

— Nunca nem *bebi* "Sex on the beach", muito menos *preparei* um.

— Há mais dois bartenders. Eles podem te ajudar a preparar o que não souber fazer. Por favooooor. A bolsa da minha irmã acabou de estourar, e quero ir para Nova Jersey esta noite para não pegar o trânsito de amanhã de manhã. Vou ficar te devendo uma.

Sabia que Riley estava fazendo beicinho do outro lado da linha.

— Mas eu ia escrever esta noite.

— Você não veio à praia para escrever o dia todo. Quantas palavras escreveu até agora?

Olhei para meu notebook. Sete. Escrevi sete malditas palavras hoje.

— Mais do que ontem. — Infelizmente, essa era a verdade. — Mas está fluindo.

— Por favorzinho. É uma emergência, caso contrário, eu não pediria.

Bufei.

— Tá bom.

Riley deu um gritinho.

— *Obrigada*! Ah! E vista algo decotado para exibir essa sua comissão de frente enorme. Ninguém vai se importar se não souber fazer uma bebida com isso à mostra.

— Tchau, Riley.

Olhei no espelho. Meu cabelo escuro estava preso em um coque bagunçado no topo da cabeça. Estava sem maquiagem e já tinha trocado minhas lentes de contato pelos óculos que escondiam meus olhos azuis cansados. Suspirei. Pelo menos, eu tinha tomado banho.

A amiga com quem eu morava, Riley, era bartender em um bar famoso dos Hamptons à beira da praia. Era o tipo de lugar onde se encontravam caras ricos, arrogantes e almofadinhas, vestindo polos com cavalinhos bordados nelas e mocassins com meias. Todas as mulheres eram magras e pavoneavam pele excessiva e perfeitamente bronzeada. Depois de ter dormido com um cara que conheci lá e me dado mal, com certeza não estava buscando chamar atenção. Passei um pouco de máscara de cílios e soltei o cabelo do coque, mas não me dei ao trabalho de colocar as lentes de volta. Já estava bom.

O estacionamento no The Heights[1] estava lotado. Tinha um bar no terraço. Por isso o nome. As pessoas estavam fumando do lado de fora, e a música lá dentro tocava tão alto que as janelas vibravam. Me lembrei da última vez em que fora ali e havia três bares... o do terraço, o interno e o externo no deque com vista para a praia. Também havia o restaurante adjacente que parecia ser popular antes de o bar lotar. Não sabia ao certo onde minha amiga estava trabalhando esta noite.

Um homem gigante abriu a porta conforme me aproximei, então fui verificar a parte de dentro primeiro. Riley me viu logo. Gritando, ela balançou as mãos no ar de trás do bar, então envolveu a boca com elas.

— Venha aqui para trás. Vou te mostrar tudo rapidinho.

Fui até a ponta do bar comprido e ergui o topo articulado para entrar.

— Esta é Carly. — Ela apontou para uma ruiva usando tranças e um cropped. A moça acenou. — Ela trabalha no bar externo com Michael. Só entrou para roubar alguns dos nossos copos porque não arrumou muito bem o bar dela.

Carly deu de ombros e ergueu uma caixa, gritando por cima da música.

— Estou sempre atrasada.

Riley apontou para uma garota mais baixa e loira que fez a roupa de Carly parecer matronal. Por um segundo, fiquei arrependida por não ter vestido algo mais bonito ou, no mínimo, me arrumado um pouco.

— E aquela é Tia. Ela serve a metade esquerda do bar interno. Eu sirvo a direita.

1 "As alturas", em inglês. (N.T.)

Tia acenou.

Riley tamborilou a ponta dos dedos no topo da fileira de torneiras.

— Ok. Então temos Bud, Stella, Corona, Heineken, Amstel e Lighthouse Ale, que é uma cerveja local. Sirva a cerveja local se pedirem para você escolher uma.

— Certo. — Assenti.

Ela se virou para as prateleiras espelhadas atrás de nós.

— Tudo está na prateleira de cima. As coisas mais populares, como vodca, Jack Daniels, rum, Fireball e tequila, estão todas guardadas à esquerda e à direita do bar, para não nos trombarmos tanto. — Ela apontou para a parte debaixo do bar. — Copos, caldas, pias e coolers para cerveja engarrafada estão aqui embaixo. Em cima do cooler vermelho, há um livro laminado que te diz os ingredientes para qualquer coquetel que você não saiba fazer.

— Cooler vermelho. Certo.

Ela deu umas batidinhas no lábio com o dedo.

— O que mais? Ah! Se alguém te causar problemas, é só assobiar que Oak cuida disso.

— Oak?

Ela apontou para a porta da frente, onde estava o homem enorme pelo qual eu tinha passado para entrar.

— O segurança. Não sei o nome verdadeiro dele. Todo mundo simplesmente o chama assim. Oak. Presumo que seja porque ele é grande como uma árvore. Ele é o segurança e o gerente substituto quando o dono não está. — Riley puxou sua bolsa de debaixo do bar e colocou a alça no ombro. — E, felizmente para mim e para você, ele não deve vir esta noite. Surtaria se soubesse que deixei alguém sem experiência no bar.

Arregalei os olhos.

— Ele não deve vir esta noite? O que acontece se ele aparecer?

— Relaxe. O babaca ricaço foi para a cidade para uma reunião do Conselho hoje. Não vai aparecer.

Riley deu um beijo na minha bochecha e saiu.

— Obrigada por fazer isso. Te devo uma — berrou por cima do ombro.

Meus primeiros clientes pediram cerveja. Com exceção de umas espumas extras porque eu ainda não tinha pegado o jeito de servir, ninguém pareceu perceber — isto é, até chegar um grupo de quatro mulheres.

— Vou querer um Cosmo.

— Vou querer um Paloma.

— Vou querer um Moscow Mule.

Um o quê?

— Vou querer uma Corona, por favor.

Pelo menos a que tinha educação não receberia a bebida errada. Servi a Corona, chacoalhei o Cosmo — como era minha bebida preferida, realmente sabia como fazer essa — e comecei a folhear o livro de bebidas que estava em cima do cooler vermelho. Só que... não tinha receita para Moscow Mule nem para Paloma. Fui perguntar para Tia.

— Ei... o que vai no Moscow Mule?

— Sério? Nunca me pediram para fazer um, mas acho que são duas doses de vodca, quatro doses de cerveja de gengibre e suco de limão.

— Obrigada. E no Paloma?

— Quem você está servindo? — Ela deu risada. — Duas doses de tequila, sete de refrigerante de laranja e suco de limão. As misturas estranhas de bebida, como a cerveja de gengibre e o refrigerante de laranja, estão no fundo do cooler. Vai precisar procurar.

— Certo. Obrigada.

Na volta para a outra ponta do bar, parei para repor uma cerveja e dar o troco para alguém. A música estava tão alta e me distraindo que eu estava me sentindo meio sobrecarregada, então, quando peguei os copos e comecei a fazer as bebidas das mulheres, não sabia se me lembrava corretamente.

Será que era gengibre, cerveja, vodca e limão? Olhei para a outra ponta do bar. Tia estava com uma coqueteleira em uma mão e a outra servia cerveja. O bar também estava começando a encher.

— Você se esqueceu das nossas bebidas? — A amante do Mule era arrogante.

— Saindo agora. — E não me culpe se ficar uma porcaria.

Fiz minha melhor performance ao preparar os coquetéis idiotas e os servi em um copo chique. Tudo ficava com gosto melhor em um copo pretensioso, de qualquer forma. Após entregá-los, segui para o próximo cliente.

— Vou querer um Mudslide — o cara com a polo cor-de-rosa pastel disse.

— Humm. Ok. — Olhei para Tia. Ela ainda estava ocupada. Não podia interrompê-la para cada cliente. — Esse leva Kahlua, certo?

O cara me deu uma olhada. Qual era o problema de todo mundo nesse lugar?

— Talvez devesse arranjar um emprego na sorveteria no fim do quarteirão se não sabe como se faz um Mudslide.

— Talvez você devesse beber cerveja em vez de uma bebida de mulher — contra-ataquei.

— É para a minha namorada. Não que seja da sua conta.

— Ah.

Fui até o livro de receitas. *Por que essas coisas não estão em ordem alfabética? Mudslide era o penúltimo. Vodca, licor Bailey, Kahlua, leite — tudo em quantidades iguais.*

Outros dois clientes pediram bebida enquanto eu misturava o coquetel. Eu precisava aprender a não fazer contato visual até estar pronta para o próximo pedido. Por causa das interrupções, sem querer, coloquei o dobro de licor e esqueci o leite.

Enquanto eu entregava o Mudslide do cara arrogante, o grupo de quatro mulheres que eu havia servido voltaram ao bar. Passaram pelas pessoas até a frente e colocaram dois copos no bar com força. As bebidas espirraram por todo lado.

— Estas bebidas não estão certas. Não sei o que colocou aqui, mas o gosto está horrível.

— Ok. Me deem um minuto que vou refazê-las para vocês.

A mulher à frente da brigada de vadias revirou os olhos.

Levei a nota de vinte dólares do cara do Mudslide para o caixa e voltei com seus cinco dólares de troco. Quinze dólares. Que facada.

— Aqui está.

O cara ficou com bigode conforme abaixou o que eu tinha acabado de inventar.

— Isto também não está certo. Você sabe mesmo o que está fazendo aí atrás?

— Não! — gritei, respondendo, em minha defesa. — Estou ajudando uma amiga. Não precisa ser grosseiro. Estou fazendo o meu melhor.

Refiz todas as três bebidas e fiz os clientes arrogantes prová-las, desta vez, antes de se afastarem. Havia sentido alguém me observando da ponta do bar comprido, mas precisava trabalhar.

Só quando terminei de atender mais dois clientes foi que vi rapidamente os olhos que sentira me seguindo. Verifiquei duas vezes. O cara era lindo de morrer, mas também se destacava como um pitbull entre um mar de poodles. Jaqueta de couro preta de motociclista, pele bronzeada, barba por fazer, cabelo loiro-escuro todo desarrumado de um jeito que parecia que, talvez, tivesse acabado de fazer sexo. Sexo bom de verdade. Meus olhos flagraram os esverdeados dele, e seu olhar intenso me deixou nervosa.

— Já vou te atender.

Ele assentiu uma vez.

Após terminar com o cara ao lado dele, voltei minha atenção para o rebelde no meio do mar de mauricinhos com polo pastel.

— O que vai querer?

— O que sabe servir? — Deus, a voz combinava com seu rosto. Sexy, grossa e intensa.

Aparentemente, ele estivera sentado ali por um tempo e imaginou que eu não era a melhor bartender.

— Cerveja. — Sorri. — Sei servir cerveja.

Pensei ter visto o lábio dele subir.

— Quando te contratou, o dono sabia que você só sabia servir uma bebida?

— Na verdade, ele não me contratou exatamente. Estou substituindo uma amiga e, sinceramente, não faço ideia do que estou fazendo. Acho até que dei o troco errado para o último cara.

Ele ficou em silêncio. Parecia estar me estudando, e isso me deixou desconfortável. Não conhecia muitos caras realmente fodões, e aquele claramente era fodão.

— Então... o que vai querer?

Em vez de responder, ele se levantou e tirou a jaqueta de couro. Engoli em seco ao olhar seus músculos protuberantes na camiseta branca lisa que vestia. Seus braços eram cobertos por tatuagens, se enrolando por todo o lado como uma hera a fim de cobrir cada centímetro de pele. Tive a vontade mais louca de analisá-las mais de perto — perguntar a ele o que cada uma significava.

— Como você se chama? — Ele não havia tirado os olhos de mim, mas eu não sentia realmente que ele estava me paquerando. Era confuso e intrigante ao mesmo tempo.

— Gia.

— Gia — ele repetiu depois de mim. — Me diga, Gia, o que o dono pensaria se soubesse que você está atrás desse bar dando troco errado e irritando os clientes?

Esse cara podia ser sexy pra caramba, mas sua mudança repentina de tom fez os alarmes soarem. Ainda assim, não me afastei nem chamei Oak. Fiquei ali parada respondendo como uma idiota. *Uma idiota que vomitava a verdade quando ficava nervosa.*

— Acho que, provavelmente, ficaria irritado. Ele não enxergaria isso como eu fazendo uma boa ação para uma amiga que precisou sair por causa de uma emergência.

— E por quê?

— Bom... fiquei sabendo que ele é um babaca.

Ele ergueu uma sobrancelha.

— É. Eu o conheci, e ele é um babaca.

Embora ele tivesse concordado comigo, não parecia que estava do meu lado nem um pouco. Eu precisava me libertar daquela conversa bizarra.

— Então... gostaria da minha especialidade... uma cerveja?

— Claro.

— Que tipo?

Ele balançou a cabeça lentamente.

— Você escolhe.

Aliviada por escapar por alguns minutos, fui até a torneira, peguei uma caneca de cerveja do engradado debaixo do balcão e comecei a enchê-la com a cerveja local que Riley me falou para servir. Ainda sentindo aqueles olhos em mim, olhei para trás por cima do ombro para o meu cliente rebelde e o flagrei me encarando. Ele nem teve a delicadeza de fingir que não estava olhando.

— São seis dólares — eu disse, colocando a caneca cheia no balcão.

— Oito.

— Como?

— A cerveja custa oito, não seis. — Ele pareceu um pouco irritado.

— Oh. Então está me corrigindo para pagar mais?

O segurança-gerente-árvore veio até o bar e parou ao lado do meu cliente.

— A entrega de bebida atrasou e faltaram quatro garrafas. O recibo está debaixo da gaveta de dinheiro, chefe.

Demorou um minuto para eu absorver o que tinha ouvido. Arregalei os olhos.

— Você falou... *chefe*?

O fodão me olhou desafiadoramente.

— Isso mesmo, Gia. Eu sou o babaca. Sou dono deste lugar. — A boca dele se curvou em um sorriso que era tudo menos de felicidade. — Agora, caia fora do meu bar e diga à sua amiga que *está demitida*.

Merda!

Ele era o chefe.

Pensei que esse cara fosse algum viajante passando pela cidade em sua motocicleta, não o dono do estabelecimento inteiro.

Todo mundo estava me olhando enquanto eu me revirava para encontrar as palavras certas.

— Não pode fazer isso. Não pode demiti-la. Não culpe Riley porque não sei fazer bebidas e me virar. Não é culpa dela. Ela só estava tentando fazer uma boa coisa me colocando para trabalhar por causa da emergência familiar dela. Ela poderia muito bem ter deixado você a ver navios. Não a puna por minha incompetência.

Quando o segurança se aproximou de novo, o babaca ergueu a mão sem desviar o olhar, que estava firmemente direcionado para mim.

— Agora não, Freddie.

— Desculpe, chefe. Preciso te avisar que Elaina acabou de ligar. Não vai voltar ao trabalho. Resolveu ir para a cidade com o namorado. Ambos têm audições para alguma peça. Ela pediu desculpa, mas se demitiu.

O babaca passou as mãos pelo cabelo, frustrado, e cerrou os dentes.

— Mas que caralho! — Parecia que ele ia explodir. Suspirou profundamente, então fechou os olhos para se recompor. Quando os abriu, apenas olhou desafiadoramente para mim.

Ele era muito intimidador, porém eu não ia deixá-lo me ver suando. Eu precisava me manter firme e defender o que sabia no meu coração que era certo.

Dei-lhe alguns segundos para processar a novidade que tinha acabado de irritá-lo ainda mais e, depois, implorei:

— Por favor. Precisa reconsiderar. Não vou embora até me garantir que Riley não vai perder o emprego por causa disso. Não é justo.

Ele me deu uma olhada.

— Não pode servir bebidas... mas será que consegue ficar por aqui, parecer bonita, acomodar as pessoas e carregar ocasionais bandejas de comida, se necessário?

— Do que está falando?

— A hostess da noite acabou de se demitir. Não vou conseguir encontrar alguém a tempo para a lotação de sexta-feira, que está prestes a começar a qualquer minuto. Se me ajudar, vou deixar sua amiga, Riley, ficar com o emprego.

Ele queria me contratar?

— Você acabou de tentar me expulsar! Agora quer que eu trabalhe aqui?

— É, bom, estou em um dilema que não previ, e tive alguns minutos para digerir seu pedido de desculpas. Parece que você teve boas intenções ajudando sua amiga, apesar de ter sido uma atitude estúpida da parte dela pedir para você fazer isso.

— Então, e se eu não aceitar o trabalho?

— Aí Riley é demitida por colocar alguém no bar que não deveria estar ali. Você que sabe.

Precisei de um instante para realmente pensar na proposta dele. Ou será que era extorsão? A verdade era que eu precisava da grana extra. Tinha torrado os dez mil adiantados que recebi da editora do livro que eu estava escrevendo para alugar o quarto de verão em que estava morando. Conseguir um emprego extra que forneceria renda complementar era algo em que eu estava pensando, de qualquer forma. Poderia realmente me favorecer.

— Essa proposta de emprego é só para esta noite ou até você encontrar alguém permanente?

— Não sei. Ainda não pensei nisso. Aceita ou não?

— Vou aceitar... mas quero a vaga permanentemente. E não porque estou cedendo ao seu suborno. Mas porque, na verdade, quero um trabalho para complementar minha renda. Estou escrevendo um livro e torrei a maior parte do meu adiantamento, então...

Ele semicerrou os olhos.

— Está escrevendo um livro? Espero que não seja *Bartender para leigos.*

— Muito engraçado. Não. É um romance que acontece em uma casa de praia. Estou alugando uma casa de praia na região para pesquisa e, no momento, vivendo além do que posso pagar. O emprego, na verdade, será bem útil se eu conseguir escrever durante o dia e trabalhar à noite.

— Um romance em uma casa de praia. Parece bem idiota. — Ele pegou um cigarro e o acendeu, soprando um pouco da fumaça na minha cara.

Tossi.

— Como assim? Por que é idiota?

— Não conheço muito sobre livros de romance, mas parece clichê pra caralho.

Obrigada, sr. Babaca, por falar o óbvio!

Clichê. Pra. Caralho.

Como torná-lo original é exatamente o meu problema.

Começou bem. Os três primeiros capítulos foram bons o suficiente para me conseguir o contrato de publicação. Agora, não saía mais nada. Por isso as colossais sete palavras que escrevera hoje.

Ele jogou as cinzas no chão.

— Aliás, você começa em quinze minutos, Shakespeare.

— Meu sobrenome é Mirabelli... Gia Mirabelli... para sua papelada.

Ele soprou mais fumaça e balançou a cabeça.

— Rush.

— Você falou que eu tinha quinze minutos. Vá com calma. Ainda não é hora do rush.

Ele olhou para cima, como se questionasse os deuses como eu poderia ser tão burra.

— Rush é o meu *nome*, gênia, e olhe como fala comigo. Sou seu chefe, lembra?

Não sei de onde estava vindo minha audácia, mas fui com tudo de repente. Endireitando minha postura, desabafei:

— Neste momento, parece que você precisa de *mim* mais do que eu preciso de você. Apesar de o emprego ser útil para mim, posso aceitá-lo ou não. Então, afirmo que concordamos em nos respeitar mutuamente. Se me desrespeitar, vou falar para ir com calma de novo. — Me inclinei. — Também vou mandar você se foder.

Me preparei, esperando levar bronca. Em vez disso, um sorriso amplo se abriu em seu rosto como o gato de Cheshire. Ele colocou a mão no meu braço e me levou para longe do bar, que agora estava vazio.

— Guarde esse linguajar só para os meus ouvidos e se comporte na frente dos clientes, por favor — sussurrou no meu ouvido.

Essa escolha de palavras foi esquisita. Ele estava me encorajando a xingá-lo?

Senti um calafrio na minha espinha. O cheiro da fumaça de cigarro e perfume invadiram meus sentidos. Estar tão perto dele fez meu corpo reagir involuntariamente, apesar de eu estar rejeitando homens depois da minha péssima única noite ter dado errado há algumas semanas. Mas minha reação ao sr. Malvado foi um lembrete de que não se podia escolher exatamente por quem sentia atração física. Às vezes, é pela última pessoa que deveria estar atraída.

Pigarreando, perguntei:

— Como serei paga?

— Vá se arrumar. Faça seu trabalho, e vou garantir que isso seja cuidado.

— Há algum treinamento formal?

Ele apagou o cigarro e soprou a última fumaça.

— Não.

— Não?

— Não. Não é tão difícil. — Ele apontou para a mesa da hostess. — Está vendo aquela mesa alta ali? Você fica lá, recebe as pessoas e mostra para elas uma mesa se optarem por não ir direto a um dos bares. Se algum funcionário tiver um problema ou uma dificuldade com um cliente, podem ir até você, já que é quem tem menos coisa para fazer. Simplesmente improvise. Não exige nenhuma habilidade, o que é bom depois de ter falhado na função de bartender. As pessoas aprendem com a prática, de qualquer forma. Gosto de jogar as pessoas na fogueira, sem perder tempo explicando as coisas... Bom, com exceção de ter que te arrastar do bar hoje quando começou a me fazer perder clientes.

— Parece um ambiente saudável de trabalho.

Ele deu uma piscadinha.

— Não se esqueça de sorrir, Shakespeare.

CAPÍTULO 2

Rush

Eu não tinha realmente uma função no The Heights. Como dono do estabelecimento, minha presença não era exigida na maior parte do tempo. Era para isso que serviam um gerente e os funcionários. Mas pode-se dizer que eu era meio um louco controlador. Além do mais, de todos os negócios que eu tinha, eu preferia o ambiente cheio daquele lugar. Era onde mais me sentia revigorado. Por isso era onde eu montei minha base de negócios.

No entanto, naquela noite, eu parecia estar preferindo o The Heights muito mais do que o normal, o que estava me deixando bravo. Toda vez que eu me pegava olhando para a nova contratada, Gia, eu me repreendia mentalmente. Mas era difícil não olhar para ela. Com cabelo escuro selvagem e comprido, um sorriso contagiante e mais brio do que conseguia conter naquela estrutura pequena, ela se destacou desde quando coloquei os olhos nela pela primeira vez. E ela estava usando óculos, o que, por algum motivo, eu achava extremamente atraente.

Eu não seguia muitas regras na vida. Na maior parte do tempo, fazia o que queria, independente das consequências. Fumar era um exemplo. Eu sabia que era horrível para mim, porém fumava mesmo assim, embora continuasse dizendo a mim mesmo que, um dia, iria parar.

O Senhor sabe que eu tinha os recursos para fazer o que quisesse da vida. Era meio louco poder dizer isso aos vinte e nove anos. O mundo estava na ponta dos meus dedos, e o resultado disso era que era bem fácil se deixar levar e estragar tudo. Entretanto, jurei não desperdiçar a oportunidade que meu avô havia me dado alguns anos atrás, quando me deixou metade de seus bens, os quais incluíam inúmeras propriedades aqui nos Hamptons. Apesar de eu não seguir muitas regras, tentava não fazer tanta merda.

Uma grande regra que eu tinha *mesmo* era não cagar onde comia. Ou melhor, não *foder* onde trabalhava. Passar do limite com uma funcionária era algo difícil para mim. Ainda não tinha transado com ninguém que contratei. E queria manter assim. Por isso, o instante em que contratei Gia Mirabelli foi o instante em que Gia Mirabelli ficou fora de alcance.

Não misturar negócios com prazer, normalmente, não era um problema para mim. Contudo, quando aquela pequena faísca pulou de sua boca para mim mais cedo, poderia jurar que meu pau endureceu no segundo em que a palavra *foder* saiu de sua boca. Ninguém falava comigo assim, e foi exatamente por isso que gostei quando ela o fez. Sem contar que *foder* soa muito mais bonito quando sai da boca de uma mulher linda.

Os boatos no The Heights eram de que as pessoas pensavam que eu era intimidador, particularmente aquelas que trabalhavam para mim. Com exceção de Freddie, mais conhecido como Oak — que, convenhamos, não precisava temer ninguém devido ao seu tamanho —, parecia que as pessoas quase tinham medo de mim. Mas não Gia. Gia não dava a mínima, e provavelmente era a coisa mais revigorante que vivi o ano inteiro. Talvez a vida inteira.

Durante um momento de pouco movimento na noite, eu a fiz preencher toda a sua informação pessoal para a folha de pagamento e — olhe só — acabou que ela mora em uma das minhas propriedades que estava para locação durante o verão. Já que eu tinha uma administradora que lidava com os inquilinos, ela não poderia saber que eu era o dono. Pensei em jogar essa novidade nela quando surgisse uma oportunidade.

A conexão não me surpreendeu. Eu tinha uma boa parte dos imóveis naquela região dos Hamptons. Meu pai e irmão distantes ficavam na cidade na maior parte do tempo, administrando o negócio da família de lá. No entanto, os Hamptons eram essencialmente meu território, pelo menos do ponto de vista de operações.

Enquanto era um bar normal de praia durante o dia, à noite, o The Heights se transformava mais em uma balada e restaurante com música ao vivo no terraço. E, naquela sexta à noite, estava lotado tanto na parte interna quanto na externa.

Mais uma vez, me flagrei olhando fixamente para Gia. Na verdade, ela era boa pra caramba naquela função que eu tinha lhe dado. Eu havia minimizado o papel da hostess mais cedo, não era tão fácil quanto fiz parecer. Ela recebia todo cliente com um sorriso brilhante e entusiasmado, como se sempre fossem os primeiros a entrar. Também tomou a iniciativa de andar por entre as mesas e verificar os clientes, quando não havia ninguém na fila. Felizmente, parecia que não estava percebendo que eu a observava.

Quando todo mundo tinha ido embora, passava bastante da meia-noite. Começara a chover, e o oceano estava se agitando. Eu estava do lado de fora fumando um cigarro quando Gia entrou bem na minha nuvem de fumaça.

— Não sabia que você ainda estava aqui — ela disse.

A fumaça se ondulou da minha boca quando eu falei:

— Desculpe ter te decepcionado.

— Não decepcionou. Eu só... pensei que você tivesse ido embora há muito tempo.

— Bom trabalho esta noite.

— Uau. — Ela sorriu amplamente. — Isso é um elogio?

— Falo porque penso isso mesmo. Também falaria se tivesse ido mal. Apesar de não conseguir servir bebidas... foi muito bem como hostess.

— Até demais. — Ela deu uma piscadinha. — Bom, até que tenho experiência. Costumava trabalhar nisso na cidade.

— Definitivamente, deu para ver que não foi sua primeira vez.

Instintivamente, meu olhar pairou sobre seus seios grandes, que estavam apertados no sutiã preto que eu conseguia ver através da camiseta branca fina. Obriguei meus olhos a se erguerem.

Nossos olhares travaram e, de repente, ela pareceu ansiosa para ir embora.

— Bem... tenha uma boa noite. Estarei aqui amanhã no horário.

Quando ela começou a andar por entre os carros, percebi que ela não tinha um veículo; iria caminhando.

Vestida assim? À noite?

Entrei no meu Mustang e dirigi até ela, abaixando o vidro da janela.

— Não é meio tarde para você ficar andando sozinha?

— Está tudo bem. Não me importo de andar.

— Está escuro, e não há muita iluminação no caminho da sua casa.

— Como sabe onde moro?

É mesmo. Ela não sabia que eu era dono da casa dela.

— Você me deu seu endereço mais cedo, lembra? Conheço esta cidade como a palma da minha mão.

— Sei. — Ela continuou andando conforme eu dirigia devagar ao seu lado.

— Eu te levo para casa.

— Não tem problema.

— Tem, sim. É minha funcionária. Trabalhou até tarde sob minha responsabilidade. Se acontecesse alguma coisa com você a caminho de casa por causa disso, me sentiria parcialmente responsável. E não quero isso para minha consciência.

Ela parou de andar e colocou as mãos na cintura.

— Bem, não tenho carro no momento. Então planejo caminhar para casa na maioria das noites. Se não puder me levar toda vez, por que se incomodar?

Eu não iria perder tempo tentando convencê-la.

— Entre na porra do carro — exigi.

Ela não discutiu ao abrir a porta e olhar para mim.

— Obrigada.

O reconhecimento do seu perfume e do jeito que ele estava me fazendo sentir me deixou alerta. Não conseguia entender por que estava tendo esse tipo de reação a uma mulher que acabara de conhecer. Ela parecia familiar, embora eu soubesse que nossos caminhos nunca tinham se cruzado antes de hoje.

Eu tinha transado com muitas mulheres, a ponto de pensar que estivesse imune a esse sentimento. Mas havia algo diferente em Gia que eu não conseguia identificar.

Isso era perigoso.

Precisava de outro cigarro. Peguei um e o acendi.

— Acha que pode não fumar aqui dentro? — ela perguntou.

— Não. Não posso não fumar.

Insistir em fumar quando ela me pediu para não fumar com certeza foi estupidez. Deveria ter sido mais educado... mas, com ela no carro, eu realmente precisava disso. Abri a janela e fiz um esforço consciente de soltar a fumaça para fora e para longe dela.

— Há quanto tempo é dono do The Heights?

— Minha família o construiu há uma década. Estou no comando dele há alguns anos.

— É um estabelecimento bem legal. Só tinha ido lá uma vez antes desta noite e tive uma experiência ruim. Não havia voltado até hoje.

Virei a cabeça rapidamente para ela.

— Que tipo de experiência ruim?

— Oh... não foi com o bar em si nem nada.

— Então o que foi?

— Conheci um cara lá e foi... bem, não acabou bem. Acho que associo o The Heights com essa experiência. Nem queria vir hoje quando Riley me implorou.

Pensar que alguém que ela conheceu no meu estabelecimento a prejudicou fez meu sangue ferver. Diminuí a velocidade do carro e olhei para ela.

— Ele te machucou?

— Não.

— Então o que aconteceu?

A resposta honesta dela me surpreendeu.

— Transei com ele, e ele me deu o número errado depois.

Não eram muitas coisas que me deixavam sem palavras. Mas ouvi-la dizer isso realmente me deixou sem saber o que dizer. Não fazia sentido em como alguém poderia conseguir levar aquela mulher para a cama e, então, dar-lhe o número errado.

Sua honestidade me chocou. Quantas mulheres admitiriam isso para o chefe? Pode dizer o que quiser de Gia, mas ela era verdadeira. Talvez fosse isso que me atraía nela. Porque muita coisa na vida era superficial e falsa. Aquela garota parecia não ter nada a esconder.

Ela cobriu o rosto.

— Deus, por que acabei de te contar isso? Às vezes, a verdade sai de repente.

— Bom, minha mãe costuma dizer: "não se desculpe por suas verdades, apenas por suas mentiras". — Olhei para ela. — Provavelmente, ele era casado. Recebemos muitos tipos assim da cidade no bar, pensam que podem vir, transar com todo mundo nos Hamptons e depois voltar para a esposa em Manhattan como se nada tivesse acontecido.

— Sabe... acho que tem razão. Ele definitivamente não era quem dizia ser.

Não consegui controlar o desejo de repreendê-la.

— Precisa ter cuidado. Não deveria ir para casa com homens que conhece em bares.

— Não sou vagabunda. Não dormia com ninguém há meses antes disso. Estava solitária, no clima e pensei "por que não?". Esse cara... parecia normal, bem vestido e falava bem. Não que ele tivesse prometido se casar comigo, mas passamos a noite toda conversando antes de eu levá-lo para a minha casa. Ele até fez planos comigo para o fim de semana seguinte. Não pensei que fosse me dar o número errado. Era charmoso... me enganou. Se eu pudesse, com certeza voltaria no tempo.

Parei em frente à casa dela – minha casa. Com cinco quartos amplos, era uma casa de praia chique e informal ao mesmo tempo que agora servia de república para um monte de habitantes da cidade que fugiam de Manhattan no verão.

Quando desliguei o carro, ela não se mexeu.

— Queria não ter te contado tudo isso. Não quero que me julgue ou que pense que eu faria algo assim com um cliente.

Quem sou eu para julgar? Já vacilei mais do que minha cota permitia.

— Acredite, julgar você por algo assim seria o sujo falando do mal lavado. Todos nós cometemos erros — falei, acendendo outro cigarro. Assoprei a fumaça pela janela. — Só quero que tome cuidado no The Heights. É um mercado de encontros.

— Ah, sei bem disso. Deram muito em cima de mim a noite toda.

Cerrei a mandíbula. *Eu sei. Estava observando e tive que me obrigar a parar para não ser preso inúmeras vezes no meu próprio bar.*

— Enfim... — ela disse. — Como sabia que essa era a minha casa especificamente? Nem usou o GPS.

— Falei para você. Conheço esta região de cor.

Ela ficou em silêncio, depois soltou:

— Posso te fazer uma pergunta?

— Depende da pergunta.

— Como acabou sendo dono do The Heights? Quero dizer, você é jovem e... — Ela hesitou.

— O que...

— Não sei bem como explicar, mas não se parece como eu tinha imaginado.

— Não me pareço com alguém que vai aparecer na reunião da câmara do comércio local em breve?

Ela caiu na gargalhada.

— Basicamente isso...

Será que eu queria tocar nesse assunto?

Foda-se.

— Respondendo à sua pergunta, não fiz nada para ganhar o The Heights ou qualquer outra coisa que possuo, exceto nascer o filho bastardo de um homem muito rico com o qual nem suporto ficar na mesma sala. Não tem nada de impressionante em ter recebido riqueza e não tê-la merecido.

— Você é brigado com seu pai?

— Se fosse por ele, eu nem estaria na vida dele, que dirá compartilhar sua riqueza. Quando meu avô descobriu que eu existia, o que foi confirmado com um teste de DNA depois, tudo mudou. Meu avô era um homem honrado. Decidiu que eu merecia as mesmas coisas que meu irmão, o filho legítimo, recebia. Então, me deparei com bastante riqueza para a qual não estava realmente pronto ou esperando. Mas isso só aconteceu quando eu tinha vinte e poucos anos.

— Uau. Então não cresceu rico?

— Não. Cresci em uma casa humilde em Long Island, vivia com minha mãe e minha avó, e vi minha mãe sofrer para me criar sozinha. Mal tinha um penico para eu mijar. Então, não subestimo nada disso.

Meus olhos ficaram colados em suas pernas conforme ela as cruzou. Imaginei como seria tê-las em volta de mim. Uma visualização dela nua debaixo de mim conforme eu me deitava sobre ela me fez sugar mais forte a nicotina.

— Se você simplesmente é como um de nós, então... por que todo mundo tem tanto medo de você, Rush?

— O que a faz pensar que as pessoas têm medo de mim?

Eu sabia que havia verdade nisso, porém queria ver o que ela iria dizer.

— Bom, parece que todo mundo pisa em ovos à sua volta. Reparei nisso esta noite.

— É porque sabem que não aceito qualquer merda. Já me viram demitir gente por fazer brincadeiras ou confraternizar com clientes no trabalho. Sabem que não brinco em serviço. Você deveria aprender essa lição com eles.

— E por que essa cara fechada permanente? Quando servi você no bar mais cedo, parecia que estava pronto para matar alguém.

— Eu estava... eu estava pronto para te matar. Estava bravo com a moça espantando meus clientes.

— É, bom, tudo deu certo no final... não deu?

— O veredito ainda não saiu.

Ela sorriu de um jeito que me mostrava que sabia que eu estava mentindo. Ela sentia que estava segura comigo, que lógico que não iria demiti-la nem se ela incendiasse o The Heights. Essa era a verdade. Foi foda perceber isso.

— Por que não tem carro, Gia?

— Eu tenho. — Ela apontou para um monte de metal estacionado. — Só está fora de serviço no momento com um pneu furado e com necessidade extrema de freios novos.

— Fora de serviço? Parece que está se desintegrando.

— Nem me lembre. — De repente, ela abriu um pouco da porta. — Bom... obrigada pela carona.

Uma sensação de decepção estava fervilhando no meu peito. Foi quando percebi o quanto não queria que ela fosse embora. Também foi quando percebi há quanto tempo não me abria nem um pouco para alguém. Era perturbador o quanto eu gostava de estar perto dessa mulher.

Ela se virou antes de sair, ainda metade dentro do carro.

— Tive a impressão de que você gostou quando te xinguei mais cedo...

Porra, gostei mesmo.

— O que a faz dizer isso?

— Só tive a sensação. — Ela se inclinou. — Obrigada pela carona foda, Rush. Tenha uma noite foda.

Lá estava de novo. Ela falou a palavra "foda" — duas vezes, diga-se de passagem —, que viajou direto para o meu pau, que agora estava latejando.

Ela estava quase na porta dela quando se virou e gritou:

— E, para o seu governo, você não me intimida mais.

— Por quê? — berrei pela janela.

— Porque qualquer um que tem um anjinho pendurado no retrovisor do carro não pode ser tão mau assim. — Ela deu risada antes de correr o resto do caminho até a entrada.

Quando saiu de vista, permiti que o sorriso contra o qual estivera lutando se espalhasse pelo meu rosto conforme apoiei a cabeça para trás no banco.

O anjo pendurado no meu espelho retrovisor era da minha avó antes de ela morrer. Ela costumava tê-lo pendurado em seu Buick para proteção até ficar idosa demais para dirigir. Minha avó era a pessoa mais gentil que já conheci e tinha mais carinho por mim do que eu merecia. De seu ponto de vista, eu não fazia nada errado. O anjo era um lembrete de tentar fazer jus a isso, apesar do fato de, na realidade, minha personalidade se assemelhar mais ao diabo.

CAPÍTULO 3

Rush

Na noite seguinte, enquanto Gia estava trabalhando, fui até sua casa e passei três horas consertando seu Maxima de merda. Precisou de três idas à loja de peças automotivas, mas, finalmente, consegui consertar o carro. Ela tinha falado que precisava de freios e um pneu novo. Esqueceu de mencionar que gastou tanto os freios que também precisava de rotores e novos calibradores. Acabou sendo uma tarefa bem maior do que eu tinha planejado originalmente, porém sabia que, se ela não tivesse um carro, eu acabaria levando-a para casa a maioria das noites, e isso seria perigoso.

Dessa forma, eu poderia garantir que ela chegaria em casa em segurança, e meu pau ficaria em segurança dentro da minha calça.

Após consertar seu carro, corri para fazer umas tarefas atrasadas e planejava trabalhar na contabilidade do restaurante em casa por algumas horas. No entanto, às onze da noite, fiquei agitado e não conseguia mais ficar sentado, então fui para o The Heights. Gia precisava de uma carona para casa, de qualquer forma.

Durante a semana, a cozinha fechava às onze. A essa hora, o trabalho da hostess praticamente havia acabado, mesmo que as garçonetes ainda tivessem mesas para servir. Encontrei Gia sentada no bar conversando com sua amiga Riley do outro lado do balcão. Era a primeira vez que via Riley depois de quase tê-la demitido, mas, em vez disso, acabei contratando a amiga dela.

Ela arregalou os olhos conforme me aproximei. Gia não deve ter percebido, já que não se virou. Fiquei próximo dela, apoiando meus antebraços no bar.

— Tem alguém trabalhando nesta porra?

Riley pulou e começou a secar um copo que parecia já estar seco. Ela parecia bem nervosa.

— Acabou de acalmar. Ficamos ocupadas a maior parte da noite.

Gia, por outro lado, nem se encolheu com minha aparição repentina.

— Você acha que o sol nasce só para te ouvir falar, não acha?

Tive que levar a mão à boca e fingir tossir a fim de cobrir meu sorriso.

— Não te pago para ficar por aqui sem fazer nada.

Ela se virou e me encarou sem voltar atrás.

— É verdade. Não paga mesmo. Porque meu turno acabou. Bati o ponto com a árvore grandona há dez minutos. Parei no bar para pedir uma bebida antes de ir para casa. — Ela olhou para os vinte dólares no balcão diante dela. — Isso me torna uma cliente imediatamente. E, particularmente, não gosto da forma como estou sendo tratada como uma cliente pagante.

E lá se vai meu pau de novo. Que porra havia de errado comigo por gostar de quando essa garota me provocava assim? Um sorriso lento se abriu no meu rosto.

— Você sempre pode ir ao bar no fim do quarteirão se não gosta de como te tratam aqui.

A cabeça da pobre Riley ia de um lado para o outro entre nós tão rápido que ela começou a ficar meio pálida. Seus olhos tinham aumentado tanto que pareciam dois pires. *Isso mesmo. Tenha medo de mim. Ensine sua amiguinha a fazer a mesma coisa.*

Enquanto Gia e eu nos olhávamos de forma desafiadora, Riley gaguejou uma desculpa para sair de cena.

— Hummm... Eu, eu... alguém precisa de ajuda ali. — Ela apontou para o outro lado do bar. — Te vejo daqui a pouco, Gia.

— Ótimo. — Gia franziu o cenho. — Agora você espantou a bartender, e nem posso tomar um drinque.

Murmurei alguns xingamentos baixinho ao dar a volta no bar e pegar o copo alto debaixo do balcão. Adicionando gelo, coloquei um pouco de granadina e preenchi o restante com Seven Up, então joguei umas cerejas em cima. Quando terminei, deslizei o drinque pelo bar para Gia.

— Aqui está. Sua bebida. Uma Shirley Temple.

— Queria uma coisa mais forte — ela disse.

Também queria te dar uma coisa mais forte.

Gia abriu um sorriso diabólico e, então, pendurou uma cereja diante de sua boca e a chupou. Observar aqueles lábios carnudos se fecharem em volta da cerejinha, suas bochechas afundando conforme sugava, era uma preliminar melhor do que pornô. Foi bom eu ter ido para trás do bar a fim de esconder meu volume na calça.

Caralho. Estou com um puta tesão.

Eu precisava transar. Era esse o problema. Não tinha nada a ver com a senhorita Chupadora de Cereja. Desviando meus olhos para não a ver terminar a cereja, meu olhar parou, inocentemente, em seus seios. Embora meus pensamentos tenham sido qualquer coisa, menos inocentes. Para alguém pequenininha, ela tinha peitos grandes. Cheios, redondos, mais do que uma bocada. Tive o desejo enorme de dar a volta correndo no bar e persegui-la, para vê-los balançando para cima e para baixo — descobrir se eram de verdade. Dei uma risada alta ao imaginar o que meus funcionários pensariam se essa merda acontecesse.

Claramente, eu estava enlouquecendo.

— Do que está rindo? — Gia semicerrou os olhos.

— De nada. Nada mesmo. — Esfreguei as mãos no rosto e balancei a cabeça algumas vezes para me fazer parar de pensar nisso. Depois, fiz uma nota mental de enviar mensagem para uma das minhas ficantes após levar Gia em segurança para casa.

Todo verão, sempre havia aquelas que topavam uma boa trepada sem compromisso. Baseadas na minha aparência, as mulheres faziam suposições. Transar com quem elas *pensavam* que eu era as fazia sentir que estavam ligando o foda-se para seus papais ricos. Eu precisava continuar com essas mulheres e manter a cabeça no lugar quando se tratava da minha nova funcionária.

— Como foi o público desta noite? Alguém te causou problema?

— Nada com que eu não pudesse lidar.

— E a escrita? Conseguiu escrever algo hoje, Shakespeare?

Gia tirou um caderninho da bolsa que estava pendurada no encosto da cadeira e folheou algumas páginas.

— O que acha do nome Cedric para um herói masculino?

Arqueei uma sobrancelha.

— Ele é um comediante negro marombado?

— Não.

— Então é um nome idiota.

Ela tirou uma caneta do seu caderninho e riscou uma palavra que eu presumi que fosse Cedric.

— E quanto a Elec?

— Que porra é um Elec? É um eletricista ou algo parecido?

Outro risco.

— Caim?

— Ele mata seu irmão Abel na história?

Risco.

— Marley?

— Canta reggae?

Risco.

— Simon?

— Cara nerd com óculos que apanha pra caramba?

Gia suspirou.

Arranquei o caderninho de suas mãos e comecei a ler o resto da lista em voz alta.

— Arlin. Aster. Benson. Tile? — Baixei o caderninho e arqueei uma sobrancelha. — Sério? Tile?

Ela se debruçou no balcão e tomou-o das minhas mãos.

— Me dê isso se vai ficar me zoando. Pensa que é fácil, então me diga uns nomes bons para um herói que sejam únicos e fortes.

— Tá bom. Deixe-me pensar. — Cocei a barba por fazer em meu queixo como se realmente estivesse pensando.

Parecia que Gia estava seriamente aguardando saber o que eu estava pensando. *Pobrezinha inocente.* Estalei os dedos.

— Pensei no nome perfeito.

— Qual? — Ela pareceu verdadeiramente empolgada.

— Rush. Dê o nome de Rush ao seu personagem.

Ela jogou o caderninho pelo balcão para mim.

— Você é um babaca.

Dei risada ao pegá-lo.

— Isso não é novidade para você, querida. Como você começou este livro sem nem saber o nome do seu personagem, afinal?

— No início, ele atende por um apelido. Mas também precisa de um nome verdadeiro. — Seus ombros caíram. — Nem consigo escolher os nomes dos personagens deste livro. Como vou escrevê-lo inteiro nos próximos dois meses?

— Sabe o que acho?

— Tenho medo de perguntar...

— Acho que está estressada. Minha mãe é pintora. Ela nunca realmente viveu disso, apesar de ser muito boa. Era garçonete à noite para pagar as contas, porém pintar sempre foi sua paixão. Quando eu era criança, ela costumava pintar o dia todo com um sorriso no rosto. Então começou a vender os quadros para ganhar um dinheiro extra em feiras hippies e tal. Chegou ao ponto de ela ter que produzir uma certa quantidade até uma data específica para exibi-los para venda, então ficava toda estressada e não conseguia pintar. Sabe o que ela fazia?

— O quê?

— Ela ficava alguns dias sem pintar e nós fazíamos coisas divertidas. Como ir ao cinema de dia, pagar pelo primeiro filme e, então, ficar o dia todo entrando escondido em outras salas. Ou íamos jogar minigolfe... Ela guardava dois tacos pequenos e algumas bolas no porta-malas do carro para não precisarmos pagar a taxa de aluguel.

— Own. Sua mãe parece ótima.

— Ela é. Mas não é essa a questão. A questão é que você precisa esquecer essa porra de livro por alguns dias e espairecer.

— Talvez tenha razão.

— Sempre tenho razão.

Gia revirou os olhos.

— Posso, pelo menos, tomar um drinque antes de ir pra casa? Um de verdade?

Ergui o queixo.

— O que você quer, pé no saco?

Ela uniu as mãos e saltitou na cadeira.

Ah, sim. São de verdade mesmo.

— Vou querer um Cosmo.

— Certo. — Peguei uma taça de martini. — Uma bebida pra quem tem boceta saindo.

Ela franziu o nariz.

— Precisa falar assim?

— O que foi?

— Essa palavra.

Me debrucei no balcão, aproximando o rosto do dela, então baixei a voz.

— Não gosta da palavra *boceta*?

Ela cobriu a boca.

— Não. Não gosto. Quase tanto quanto não gosto da *outra* palavra.

Sorri.

— Xoxota? Não gosta de *xoxota* também?

Os cantos de sua boca estavam virados para cima debaixo de sua mão, apesar de ela tentar fingir que a ofendia.

— Essa mesmo. Não fale essa palavra também.

— Ok.

Preparei um monte de Cosmo e servi na taça frufru em que as porcarias açucaradas eram servidas. Deslizando-a até a metade do caminho para o seu lado do balcão, aguardei que ela se inclinasse e, então, segurei firmemente pela haste.

— Não tão rápido. Há uma taxa para este drinque.

— Oh. Desculpe. — Ela deslizou os vinte dólares para o meu lado do balcão.

Balancei a cabeça.

— Não. Seu dinheiro não vale nada aqui. Tenho uma regra. Não cobro o drinque de funcionários depois do turno deles, nem a refeição enquanto estão trabalhando.

Ela pareceu imediatamente confusa.

— Mas falou que tinha uma taxa.

Sorri.

— Tem. Você precisa dizer *boceta*.

— O quê? Não!

— Diga ou nada de drinque.

— Você é maluco.

— Olha, está escrevendo um livro de romance, não está?

— Sim. E?

— Bom, o que vai escrever quando eles começarem... Baby, abra essas pernas, vou comer sua *vagina*? Porque tenho uma notícia para você, Shakespeare: só há um jeito de informar sua mulher que quer prová-la... E esse jeito é *abra suas pernas, vou comer sua boceta*.

Gia ficou boquiaberta. Com isso, presumi que ela quisesse ouvir mais.

— Na verdade, em certos casos, dependendo do clima, se for uma preliminar antes de uma foda mais bruta talvez, provavelmente pode usar *Vou comer sua xoxota* também.

— Você é um porco.

Dei de ombros.

— Não sou eu que trabalho escrevendo sobre as pessoas transando, querida.

— Só me dê a bebida.

Sorri e ergui o Cosmo para os meus lábios. Aquela merda tinha um gosto horrível, mas menti, mesmo assim.

— Humm. Está delicioso.

— Dê para mim.

Eu adoraria dar para você.

Coloquei a mão em formato de concha na orelha.

— O que disse? Falou *boceta*? — Dei mais um gole.

Ela queria ficar brava, tentou muito parecer irritada, mas o brilho em seus olhos a denunciava.

— Pare de beber meu drinque!

— Diga.

— *Babaca*.

— Isso é jeito de falar com seu chefe?

Dei outro gole. A maldita tacinha já estava na metade com meus goles minúsculos. Quanto eu cobrava por essas coisas de quatro goles mesmo? Quinze dólares?

— Isso é jeito de falar com sua funcionária? Com esse linguajar? Eu poderia te processar por assédio sexual.

— Sabe o que penso de pessoas que brigam na corte por algo que poderia ser, facilmente, resolvido entre dois adultos?

— O quê?

— Acho que têm *bocetas*.

Nos olhamos desafiadoramente por alguns segundos, então ambos caímos na gargalhada. Demos muita risada, até Riley voltar ao bar. Ela sorriu.

— O que é tão engraçado?

Gia riu com um ronco.

— Rush tem uma boceta!

Peguei outra taça da prateleira e a preenchi até a boca enquanto escorriam lágrimas pelo meu rosto.

— Aqui está, Shakespeare. Você mereceu.

Gia não dificultou quanto a aceitar carona para casa. Pode ter sido porque era difícil ela conseguir ir andando. Depois de apenas dois Cosmos, ela estava bem tonta. Só percebi o quanto ela estava bêbada quando me pediu para parar na loja de conveniência a caminho de casa.

— Ei... boooceeeeta... — Ela soluçou. — ... pode parar na 7-Eleven?

Olhei para ela e dei risada.

— Claro, minha xoxotinha, ficarei feliz em fazer isso.

Ambos caímos na gargalhada conforme ela brincava com o anjinho pendurado no meu espelho enquanto seguíamos caminho.

— Onde comprou isso? — ela perguntou.

— Era da minha avó. Quando ela morreu, minha mãe me falou que eu poderia pegar o que quisesse dela. Joias ou qualquer coisa. — Ergui o queixo na direção do anjo. — Foi isso que peguei. Ela o deixava pendurado no carro dela. Era uma mulher muito gentil. Mas se levava uma fechada enquanto dirigia, soltava uma lista de palavrões que poderiam fazer um caminhoneiro corar. Quando se acalmava, ela beijava dois dedos e tocava o anjo. — Dei de ombros. — Simplesmente me faz lembrar dela.

— Então sua queda por linguajar de baixo calão vem da sua avó, hein?

Dei risada.

— Nunca pensei nisso. Mas talvez venha.

— Hum — ela disse, como se tivesse acabado de perceber algo.

Olhei de lado para ela e de volta para a estrada.

— O que foi?

— Você é um homem.

— Fico feliz que tenha notado. — Dei um sorrisinho. — Provavelmente foi minha falta de boceta que denunciou.

— Quis dizer que você é um homem, e fala de forma tão gentil da sua mãe e se lembra com tanto carinho da avó. Mas não se dá bem com seu pai.

— E...

— É o oposto de mim. Não tenho modelos maternos. Minha mãe foi embora quando eu tinha dois anos. Nem me lembro direito dela. Nunca conheci minha avó, mãe dela. Meu pai me criou sozinho, e a mãe dele mora na Itália, então só a encontrei algumas vezes quando ela vinha visitar. E não falo tão bem italiano, e ela não fala inglês.

— Sua mãe foi embora quando você tinha dois anos? — Entrei no estacionamento da 7-Eleven e estacionei.

— Foi. Encontrei uma carta que ela escreveu para o meu pai dizendo que não tinha instinto materno. Fez as malas e foi embora. Nunca mais soubemos dela.

— Que merda. É pior do que o babaca do meu pai.

Ela suspirou.

— Pais. — Abrindo a porta do carro, perguntou: — Quer alguma coisa? Só vou demorar dois minutos.

— Não. Tudo bem. Obrigado.

Alguns minutos depois, ela voltou para o carro. Estava curioso para saber por que paramos, mas imaginei que pudesse ser para comprar absorventes, então não questionei. Mas minha curiosidade foi sanada quando ela abriu o saco marrom de papel e tirou uma embalagem enorme de bala. Ela a rasgou como se estivesse faminta.

— Foi para isso que paramos? Por bala?

— Para que mais você vai à 7-Eleven à meia-noite?

— Humm. Para comprar absorventes, camisinhas ou cerveja. É para isso que uma ida à 7-Eleven serve.

Ela esticou o saco para mim.

— Bala?

— Não, obrigado. Não como doce.

— *O quê?* — Ela perguntou isso como se eu tivesse acabado de admitir que tinha matado alguém.

— Não curto doces. Nem sei como você bebe aquela porcaria de Cosmo. Tem gosto de açúcar puro para mim.

Ela arrancou um pedaço da bala com os dentes.

— É isso que o torna tão delicioso.

Dei de ombros, encarando seus dentes. *Aposto que a sensação deles é incrível pra caralho quando cravados na minha pele.* Pigarreando, tirei meus olhos dali para voltar a dirigir e dei marcha-à-ré da vaga.

— Cada um na sua. Só não curto.

Ela pegou outra bala do saco e a balançou para mim enquanto falava com a boca cheia.

— Qual é a sua?

— A minha?

— É. Todo mundo tem um vício. Eu como doces quando estou feliz ou triste. O que você faz?

— Não sei se tenho um vício para quando estou feliz ou triste, mas fumo quando estou irritado. — Também gostava de foder com força quando estava com ódio... O que geralmente acontecia quando eu era obrigado a estar em qualquer lugar próximo ao meu pai. Mas resolvi deixar essa parte de fora, considerando que Gia era minha funcionária.

— Realmente deveria parar com isso. Faz muito mal à sua saúde.

— Doce também. Vai parar com isso?

— Talvez... talvez devêssemos fazer uma aposta para ver quem consegue parar com o vício por mais tempo.

Parei em frente à sua casa – *minha casa* – e coloquei em ponto-morto, mas deixei o carro ligado.

— Ah, sim. Para que serviria a aposta? O que eu ganho?

Gia deu umas batidinhas com o dedo nos lábios.

— Humm. Não sei. Deixe-me pensar um pouco.

Apoiei um braço no volante.

— Pense.

Ela abriu a porta do carro, mas se virou antes de sair.

— Obrigada pela carona para casa. Aqueles dois drinques subiram direto, e não sei se teria sido uma boa ideia caminhar. Mas, não se preocupe, espero voltar a andar com meu carro em breve, para não precisar me dar carona. — Ela balançou a cabeça. — Não estou dizendo que teria dirigido para casa sozinha depois de dois drinques. Nunca beberia e dirigiria. Na verdade, não bebo com frequência. Mas entendeu o que quis dizer. Certo? Não entendeu?

Por ser dono de um bar, a maioria dos bêbados balbuciando me irritava pra caramba, mas, com Gia, por algum motivo, eu achava linda pra caralho.

— Sim, Gia. Entendi o que quis dizer.

— Tudo bem, então. Enfim... obrigada de novo.

Ela começou a sair do carro, então lembrei que não tinha lhe contado sobre ter consertado seu carro.

— Espere. Eu... hum... — Não tinha sido estranho consertá-lo. Na realidade, tinha sido exatamente o contrário... como se eu *devesse* consertá-lo. Mesmo assim, agora que eu estava prestes a lhe contar o que fiz, percebi, pela primeira vez, que o *estranho* era meu sentimento de que deveria consertar seu maldito carro.

Gia inclinou a cabeça para o lado, esperando que eu terminasse. Uma leve brisa passou pela porta aberta do carro, e uma mecha de cabelo pairou em seu nariz. Sem nem pensar, estiquei o braço e a tirei do seu rosto.

Seus lábios estavam tão carnudos assim há cinco minutos?

Enquanto eu os encarava, eles se abriram e sua língua apareceu para traçar seu lábio inferior. A subida e descida do seu peito pareceu se expandir conforme o interior do meu carro se fechava ao nosso redor.

Porra.

Precisei de cada milímetro da minha força de vontade, mas saí de qualquer porra de feitiço que ela tenha colocado em mim.

— Preciso ir.

Gia piscou algumas vezes.

— Oh. Ok. — Ela começou a sair do carro de novo, e senti que podia respirar. No entanto, antes de fechar a porta, ela se abaixou e me mostrou suas covinhas. — Sabe, pode fingir o quanto quiser, mas sei que você queria me beijar agora. — Então fechou a porta e gritou: — Boa noite, chefe.

CAPÍTULO 4

Gia

Nos dois dias seguintes, não tive que trabalhar no bar. Ontem, havia tentado escrever o dia todo. Tinha, literalmente, ficado sentada com meu notebook por doze horas — e não produzi nada. Havia escrito umas cem palavras, lido de novo, detestado cada uma delas e apagado todas. De novo, de novo e de novo. No fim do dia, eu tinha adicionado o total de dezenove palavras. Basicamente, eu havia descrito o céu. Ainda nem sabia qual seria o nome dos meus personagens.

Então, no segundo dia de folga, resolvi seguir o conselho de Rush e tirar o dia inteiro para tentar espairecer. Passei a manhã e boa parte da tarde em nosso lindo jardim, deitada ao lado da piscina, me bronzeando. Após ter tomado sol suficiente, decidi ir ao cinema que passava filmes estrangeiros a algumas cidades dali. Pensei que seria uma boa mudança passar o dia lendo legendas e ouvindo coisas em francês. Porém, eu não tinha transporte.

Bati na porta do quarto de Riley.

— Entre.

Parecia que ela estava se vestindo para o trabalho.

— Vai trabalhar hoje?

— Sim. Vou cobrir o turno do Michael. Por quê? O que houve?

— Posso pegar seu carro emprestado? Te deixo no trabalho e, depois, te pego no fim do seu turno?

Ela deu de ombros.

— Pode. Vai em algum lugar bom?

— Vou ao cinema sozinha.

Riley balançou a cabeça.

— Quantas vezes te chamaram pra sair na última semana trabalhando no

The Heights? Não precisa ir ao cinema sozinha.

— Todos os caras que vão àquele lugar são babacas.

Ela me olhou pelo reflexo do espelho enquanto amarrava o cabelo em um rabo de cavalo.

— Não pode deixar um ovo podre arruinar todo o verão para você.

Eu contara a Riley sobre minha noite com Harlan, o cara bonito com quem eu tinha dormido e que me deu o número errado.

Se fosse ser sincera, pode ser que estivesse deixando o amargor que Harlan me causou manchar meus pensamentos sobre homens que se pareciam com ele. Entretanto, toda a população masculina nos Hamptons parecia ser clone do boneco Ken. Eles eram parecidos, falavam parecido — tinha até sentido que eles cheiravam igual. Bem, exceto um. Rush tinha cheiro de algo amadeirado e de fumaça de cigarro às vezes. Meus pensamentos começaram a se desviar para a conversa estranha no carro duas noites antes. Foi como se Riley tivesse lido minha mente.

Terminando de arrumar o cabelo, ela se virou para me olhar.

— O que estava acontecendo entre você e Rush naquela outra noite? Em um minuto, ele ia demitir nós duas e, logo em seguida, vocês dois estavam rindo histericamente e se xingando.

— Nada. Só é divertido zoar com ele.

Ela ergueu as sobrancelhas rapidamente.

— Rush? Divertido? Talvez tenha passado tempo demais na piscina hoje e o calor excessivo está fazendo você delirar.

Dei risada.

— Ele é casca grossa, sim. Mas acho que, quando o conhece, há um cara decente debaixo dela. Gosto do sarcasmo e da sagacidade dele.

Riley sorriu.

— Eu não. Acho que, quando passa pela casca grossa, há mais babaquice debaixo dela. Como uma cebola, cada camada que você tira é simplesmente mais cebola. Dito isso, aposto que ele transa como um garanhão. Toda aquela raiva reprimida... aquele corpo forte. Ele pode ser babaca, mas é ridiculamente gostoso.

Bom, pelo menos concordávamos em uma coisa...

— Que horas precisa sair para o trabalho? Gostaria de tomar um banho rápido, se der tempo.

Ela olhou para o celular.

— Vou trabalhar das cinco à meia-noite. Então, você tem vinte minutos para se embelezar para sua grande noite de cinema solitária.

Após assistir a dois filmes, um em francês e o outro em italiano, realmente me senti revigorada. O primeiro foi sobre uma mulher que fingia ser sua irmã, depois que ela morreu. O filme em si era meio sem graça, mas provocou a criatividade em mim. Na realidade, fiquei sentada na sala de cinema por meia hora depois que ele acabou e digitei um monte de anotações no meu celular — todas ideias para o meu livro.

A caminho do The Heights para pegar Riley, não consegui impedir que as engrenagens no meu cérebro ficassem funcionando. Meu livro começou a aparecer na minha imaginação como um filme. Pela primeira vez, vi o rosto dos meus personagens, senti seus movimentos e ouvi o diálogo deles na minha cabeça. Foi como se uma porta que estivera fechada tivesse magicamente se aberto, e eu, finalmente, conseguia ver o lado de dentro.

Estava empolgada para compartilhar as boas novas com Rush, já que foi ele quem sugeriu que eu me afastasse do livro por um dia. Só que, quando me aproximei do bar, essa empolgação se esvaiu quando o vi sentado no balcão com uma mulher. Ela jogava para trás seu cabelo perfeitamente arrumado e ria de algo que ele dizia. Um nó inesperado se formou na minha garganta. Queria me virar, voltar para o carro e enviar uma mensagem para Riley para avisar que eu esperaria do lado de fora. Mas, antes de conseguir fazer isso, Riley gritou meu nome e acenou. Rush virou a cabeça e seus olhos pousaram bem em mim. Não poderia sair pela porta graciosamente agora. Não sabia o que estava havendo comigo nem por que estava me sentindo daquele jeito.

Forcei um sorriso praticado e fui até o bar.

— Me dê só cinco minutos — Riley gritou do caixa. — Preciso levar minha gaveta para os fundos para fechar meu caixa e, então, posso ir.

Rush balançou a cabeça e murmurou conforme Riley se afastou:

— Ela anuncia que vai para os fundos com uma gaveta cheia de dinheiro. Já volto. Deixe-me falar para Oak manter um olho no escritório para ela ficar segura. — Ele se levantou e olhou entre mim e a mulher sentada ao seu lado. — Shakespeare, esta é Lauren. Lauren, Shakespeare. Ela trabalha aqui quando não está em casa procrastinando sobre escrever o próximo grande romance pornô americano.

Rush desapareceu e o clima ficou bizarro, pelo menos para mim. Sorri para a mulher e, olhando mais de perto, me arrependi imediatamente da minha escolha de roupas confortáveis e do coque no topo da cabeça. Porque Lauren era linda. Seu cabelo loiro grosso tinha aquela aparência ondulada praiana pela qual provavelmente tinha pagado uma fortuna no salão, e ela vestia um vestido tomara que caia azul-claro, que enfatizava sua pele bronzeada que, diferente da minha, não tinha nenhuma marca de biquíni.

Ela parecia estar me analisando.

— Então... você trabalha aqui?

— Sim.

— E é escritora?

— Sim.

— Rush mencionou que tinha contratado uma nova hostess. Na verdade, ele falou de você algumas vezes nessa hora em que ficamos sentados aqui.

A mulher sorriu para mim. Mas não era do tipo mulher invejosa quero-enfiar-minhas-garras-em-você. Claro que isso me fez presumir que Rush tivesse passado a última hora divertindo-a com histórias sobre mim que me faziam parecer uma idiota.

— Não acredite em nada que ele fala sobre mim. Não sou uma funcionária tão ruim.

Ela sorriu mais um pouco e inclinou a cabeça.

— Ele só falou coisas legais sobre você. Isso é... incomum para Rush.

— Humm. Ok. Obrigada. Eu acho.

Rush voltou e olhou para mim.

— Sua amiga tem uma cabeça de vento. Não apenas anunciou que estava levando a gaveta para o escritório, como, quando fui ver como ela estava, a porta estava escancarada e ela estava de costas para ela. Eu a demitiria se não achasse que você iria tagarelar sobre isso comigo por um mês.

Coloquei as mãos na cintura.

— Não tagarelo.

A mulher se levantou e colocou a mão no braço de Rush.

— É melhor eu ir. Não quero que meu marido saiba que estive aqui.

Rush assentiu.

— Venha, vou te acompanhar. — Ele olhou para mim. — Já volto.

Minha boca ainda estava aberta quando ele voltou para o bar alguns minutos depois. Não era da minha conta, mas não consegui me conter.

— Sabe, estou bastante decepcionada com você.

Ele jogou a cabeça para trás com a audácia de parecer surpreso.

— Eu? Que porra eu fiz?

— Depois do jeito que sua mãe foi tratada por seu pai. Como pôde?

— De que *merda* está falando?

— Lauren! Ela é casada! Você pode ter a mulher que quiser. — Balançava minha mão para cima e para baixo diante dele. — Você é lindo, tem esse estilo gostoso e bad boy que as mulheres adoram e, além de tudo, tem dinheiro, mas não age como se tivesse. Por que, no mundo, você precisa sair com uma mulher casada?

Um sorriso astuto se abriu em seu rosto.

— Você me acha gostoso.

— Foi nisso que prestou atenção no que acabei de dizer?

Rush se inclinou para ficar no mesmo nível que eu, seu nariz praticamente encostando no meu.

— Lauren, definitivamente, é uma mulher casada. Mas é esposa do meu meio-irmão, não a porra de uma amante.

— Eu não... espere... o que você falou?

Ele fez careta.

— É a esposa do meu irmão.

— Mas por que ela estaria aqui? Pensei que você e seu irmão não se dessem bem.

— Não nos damos. Foi por isso que ela veio. Está tentando me convencer a ir em uma festa de aniversário ridícula de trinta anos que vai fazer para ele. Não gosto do meu irmão, mas sua esposa é legal. Apesar de eu não fazer ideia do porquê ela é casada com aquele babaca.

— Oh.

— É. Oh — Rush me imitou.

Eu precisava admitir que o alívio que senti ao saber que Rush não estava saindo com ela foi meio vergonhoso.

Pensei que ele fosse brigar comigo por fazer suposições e tirar a conclusão errada, mas ele sorriu de novo.

— Então... você me acha gostoso...

— Esqueça que falei isso.

— Desculpe. Tarde demais. — Abriu um sorriso astuto e apontou para a cabeça. — Está impregnado aqui agora.

— Ótimo.

Rush se apoiou no bar, equilibrando o corpo em seus antebraços fortes e tatuados.

— O que a traz aqui em uma noite de folga? Sentiu tanta falta de mim assim?

Ele estava tão próximo que eu conseguia sentir seu cheiro enfumaçado, amadeirado e delicioso. Literalmente, me enfraquecia.

— Desculpe estourar sua bolha, mas vim devolver o carro da Riley. Eu o peguei emprestado hoje. Mas, na verdade, queria mesmo te agradecer.

— Pelo quê?

— Bom, segui seu conselho e fui ver uns filmes para espairecer... como falou que sua mãe fazia. Os fluidos criativos voltaram completamente.

— Bem, sempre fico feliz de fazer seus fluidos correrem.

Pude sentir meu rosto esquentar.

— Fluidos criativos.

Ele deu uma piscadinha.

— Isso.

Riley deu a volta no balcão, parecendo ansiosa para ir embora.

— Está pronta para ir?

Rush respondeu por mim:

— Gia vai ficar para um drinque. Eu a levo para casa.

Me virei para ele.

— Você é muito mandão. Quem disse que quero ficar para um drinque? — Apesar de ter retrucado, entreguei a chave a ela. — Vá sem mim.

Ela olhou de forma cética entre mim e Rush.

— Tá booom. Você que sabe. Até mais.

Quando ficamos sozinhos, eu disse:

— Qual é a enrascada, Rush? O que preciso dizer para ganhar meu drinque esta noite?

Ele pegou uma taça de daiquiri debaixo do balcão e a colocou no topo do balcão de madeira.

— A palavra da noite é rola.

Balancei a cabeça.

— Que original.

Rush colocou bebida e fez uma mistura, então me presenteou com um drinque vermelho que eu nunca tinha visto. Até adicionou uma cereja e um guarda-chuvinha roxo.

— O que é isso?

Ele deslizou para mais perto de mim.

— É um French Kiss.

— O que tem nele?

— Vodca, licor de framboesa, Gran Marnier e uma pitada de chantilly.

Dei um gole. Estava muito bom.

— Humm. Adorei este guarda-chuva todo *enroladinho*.

— Ah! — Ele deu risada. — Essa foi fraca, mas já tinha previsto.

— Mas valeu.

Seus olhos seguiam cada movimentação minha conforme eu chupava a cereja. Algo me dizia que, em parte, era por isso que ele adorava me servir drinques. E, considerando que eu gostava de enlouquecer Rush, me certificava de fazê-lo em câmera lenta.

Rush engoliu em seco.

— Então, gostou do filme?

— Filmes, no plural. Assisti a dois. Na verdade, eram filmes estrangeiros, um francês e o outro italiano.

— Deveria ter me avisado. Teria ido com você.

Brincando com meu canudinho, falei:

— Não pensei que gostasse de filme estrangeiro.

— *T'as de beaux yeux, tu sais*?

Ah, meu Deus. Ele acabou de falar francês? Ele já era sexy pra caramba, e ainda falava a língua do amor.

— Ora, ora... que surpresa. Fala francês?

— Minha mãe nasceu no Canadá. Só se mudou para Long Island quando era adolescente. Falava francês comigo quando eu era pequeno, e aprendi bastante.

— O que acabou de falar para mim?

Ele sorriu de forma provocativa.

— Não vou te contar.

— Bom, desculpe por não ter te chamado para ir ao cinema. Você nem precisaria das legendas. Enfim, imaginei que fosse estar trabalhando.

Ele limpou o balcão.

— Está esquecendo que sou o chefe. Posso tirar quanta folga quiser.

— Eu teria gostado da companhia, mas, se tivesse te chamado para ir ao cinema, poderia ter sido entendido de forma errada, não acha? Não iria querer que você interpretasse de outra forma.

Rush parou, então disse:

— Não teria sido um encontro. Não saio com minhas funcionárias. Então não precisa se preocupar sobre eu pensar isso. — Ele me encarou por alguns segundos, depois voltou a secar o balcão.

Bom, então tá. Obrigada por esclarecer.

Quebrei os muitos segundos de silêncio.

— Então, por que está interessado em ir ao cinema comigo?

— Porque até que gosto da sua companhia.

— Até que gosta?

— Quando não está me enchendo, gosto.

Dei risada.

— Você não sai com suas funcionárias. Só fica mandando nelas e provocando-as para falarem sacanagens com você.

Ele balançou a cabeça e abriu um sorriso safado.

— Não... só com você. É a única que quero ouvir falando sacanagens.

— Como sou sortuda. Você sabe que seu comportamento é esquisito, não sabe?

— Nunca falei que era normal. Não sabe de nada, Shakespeare. — Ele bateu o pano de prato no bar e o pendurou no ombro. — Enfim, você também gosta de conversar comigo. Admita. Poderia ter ido para casa com Riley, mas escolheu ficar.

— Na verdade, se me lembro bem, você tomou essa decisão por mim.

Antes de ele poder responder, uma morena alta se aproximou. Quando Rush a viu, pareceu ficar tenso. Ela acenou e seguiu diretamente para ele.

Vestindo uma jaqueta curta e justa de couro por cima de um vestido soltinho branco, ela era bem atraente. Eu estava começando a me sentir do mesmo jeito que me senti quando vi Lauren mais cedo.

Lá vamos nós de novo.

— Rush... ainda está aqui — ela disse. — Estava torcendo para ver se te encontrava.

A mandíbula dele ficou tensa.

— Rachel...

Ela olhou para mim e, então, voltou a olhar para ele.

— Estava passando e pensei em parar e ver se ainda estava aqui, ver se iria querer sair esta noite.

Ele coçou o queixo e hesitou.

— Tenho umas coisas para fazer hoje.

Rachel olhou para mim.

— Quem é esta?

— Uma das minhas funcionárias.

— Gia — resolvi me apresentar.

Sem responder para mim, ela apontou com a cabeça para a porta.

— Podemos conversar por um minuto?

Rush pareceu ficar bravo, mas a seguiu até um canto onde eu ainda conseguia ouvir o que estavam dizendo.

— Estou com uma saudade da porra de você, Rush. Por que não tem retornado minhas ligações?

Meu coração caiu conforme continuava a ouvir por acaso.

— Fale mais baixo — ele a repreendeu.

Então, Rush a levou para a entrada, onde se demoraram por alguns minutos. Não conseguia mais ouvi-los, porém conseguia ver que ela estava passando os dedos no cabelo dele. Embora ele parecesse incomodado, me aborrecia o fato de ela estar encostando nele. Eu não tinha o direito de me sentir assim.

Se liga, Gia.

Depois de ela finalmente ir embora, ele voltou para onde eu estava sentada no bar. Não falou sobre o que tinha acabado de acontecer e continuou secando o balcão, onde não havia mais nada a ser seco.

— Então, quem é Rachel?

— Ninguém — ele respondeu rapidamente.

— Eu tenho ouvidos, sabia?

— E o que escutou com esses ouvidos exatamente, Minnie Mouse?

— Que ela sente uma saudade da porra de você. Ela é uma de suas putas?

Ele parou de secar e chicoteou o pano para mim.

— Ei, ei... tenha mais respeito. Acho que o termo correto é concubina.

Estalei os dedos.

— Ah, desculpe. Não quis subestimar.

Ele deu de ombros.

— Sinceramente... ela não é ninguém importante... só alguém com quem eu costumava sair.

— Costumava?

— Quando conheço alguém, sou muito claro em relação a não querer um relacionamento. Não faço nenhuma promessa. Às vezes, as mulheres esperam que as coisas aconteçam quando nunca foram para acontecer. Às vezes, não importa o quanto deixe claras suas intenções, elas, ainda assim, não escutam.

— Presumo que isso significa que terminou com ela.

— Não há por que continuar.

— Mas ela sente uma saudade da porra de você — zombei.

— Isso é problema dela.

— Bom, se você realmente é direto assim com as mulheres, respeito isso. Preferiria que Harlan, o cara que conheci aqui, se é que esse é o nome dele, tivesse me dito que estava interessado apenas em sexo.

Rush ergueu uma sobrancelha.

— Teria transado com ele se tivesse admitido isso?

— Provavelmente, não, mas teria gostado da sinceridade brutal em vez do que ele fez comigo.

— Ele sentiu que você não é o tipo de garota que fica só uma noite. Sabia que o único jeito de conseguir dormir com você era te enganando que seria o início de algo mais.

— Como sabe disso sobre mim... que não sou do tipo que fica só uma noite?

— Bom, primeiro que me contou que ficou magoada pelo que aconteceu. Se você fosse diferente, não teria dado a mínima... nem teria pensado em me contar quando tinha acabado de me conhecer. E, mesmo que não tivesse falado nada, eu ainda conseguiria te interpretar. Consigo olhar nos olhos de uma mulher e saber se tem muita coisa passando por sua cabeça ou se está vazia. Não me pergunte como... simplesmente sei.

— E você escolhe as vazias...

— As vazias são seguras.

Refleti sobre o motivo que levava Rush a querer tanto se distanciar de relacionamentos.

— Você se preocupa que as mulheres estejam interessadas somente no seu dinheiro... que tentem ir atrás de você se as coisas derem errado? Por isso que você é assim?

— Não. Não me preocupo muito com isso.

— Não se preocupa porque nunca deixa as coisas chegarem a um certo ponto com ninguém.

— Basicamente isso. — Ele pegou minha taça vazia e a ergueu no ar. — Quer outra?

— Preciso falar rola de novo?

— Acabou de falar.

Dei risada.

— Não me dê mais French Kisses. Não esses falsos, de qualquer forma. — Dei uma piscadinha. — Sinceramente, preciso escrever esta noite enquanto as ideias de hoje estão frescas na memória. Vou desmaiar se beber mais álcool. Meus personagens têm muito a dizer e fazer.

Ele deu risada.

— Bom, pelo menos alguém vai transar esta noite.

CAPÍTULO 5

Rush

Oak ficou silenciosamente ao meu lado durante a correria da noite. Ele era tão grande que seu corpo fazia uma sombra quando ele estava perto.

— Você está bem, chefe?

Olhando para seu corpo enorme, respondi:

— Sim. Por quê?

— Bom, ultimamente, você parece preocupado. Tem alguma coisa que queira me contar?

— Não exatamente. Por que está me perguntando isso?

— Não sabe por quê?

— Não sei, não.

Ele deu risada baixinho, depois disse:

— Tenho quase certeza de que sente algo por Gia.

Caralho. Será que era tão óbvio?

— Ficou doido? Sabe que não saio com funcionárias. — Olhei em volta para garantir que não tivesse ninguém ouvindo nossa conversa. — O que o faz dizer isso, de qualquer forma?

— Ah, não sei. Desde que ela começou a trabalhar aqui, você nunca sai do The Heights. E a observa como uma águia quando pensa que não tem ninguém olhando. Mas eu sempre estou de olho em *você*, e é por isso que sei.

— Bom, pode parar de ficar de olho em mim. Sua função é ficar de olho no The Heights, não em mim.

— Minha função é ficar de olho em *tudo*. Parte do meu trabalho é te proteger.

— Bem, não preciso de proteção.

— Ela parece ser uma moça legal, bastante gentil com todo mundo. Os clientes a adoram. Acho que...

— Me poupe, Oak. Não vai acontecer nada.

— Pelo que estou vendo, *já* está acontecendo...

Olhando para cima, para ele, eu disse:

— Você está passando do limite. Esqueceu que posso te demitir?

Sua gargalhada preencheu o ar.

— Não. Não pode. Sei coisas demais.

— Por isso e porque você é gigantesco. Eu iria me foder. Enfim, tem sorte que gosto de você.

Sua gargalhada diminuiu.

— Qual é, Rush? Não pode me enganar. Tem uma queda por Gia. Não há nada de errado nisso, cara.

— Há muita coisa de errado nisso. Primeiro, ela é minha funcionária. Nada vai acontecer simplesmente por isso, mas, além do mais... ela é perigosa.

Oak semicerrou os olhos.

— Perigosa? Aquela coisinha? Por que pensa assim?

Como eu iria explicar?

— Já aconteceu de só olhar para alguém e saber que, se deixar, essa pessoa pode virar sua vida de cabeça para baixo... e te arruinar totalmente?

Assentindo, como se entendesse, ele respondeu:

— Ah, sim. Já aconteceu comigo.

— O que você fez?

— Me rendi e me casei com ela.

Ouvi-lo dizer isso me assustou pra caralho.

— Bom, isso não vai acontecer com Gia... ou com ninguém.

— Então... vai só continuar mantendo a guarda sobre ela e nunca lhe contar como se sente?

— Isso mesmo. Meus sentimentos são irrelevantes. Não posso sair com uma funcionária e, se isso não fosse um problema, não é como se pudesse ficar com alguém que espera alguma coisa de mim.

— Em algum momento, vai se arrepender de ser tão fechado. Esse estilo bad boy não vai ser tão atraente quando tiver a minha idade e estiver totalmente sozinho.

Suspirei fundo. Meus olhos estavam em Gia quando falei:

— Ela escreve romances, Oak. Porras de contos de fadas. Isso significa que, lá no fundo, ela quer o conto de fadas para si mesma. E eu não sou o conto de fadas. Sou a história de terror. Sou o filho bastardo fodido de um babaca, e é bem provável que a maçã não caia muito longe da árvore. Nunca estive interessado em relacionamentos, e isso não vai mudar só porque estou temporariamente obcecado pela bunda dela e qualquer outra parte do seu corpo.

Ele apenas continuou me encarando, como se não acreditasse em mim.

— Não sei o que estou fazendo, tá bom? É como se eu quisesse... protegê-la ou algo assim. É estranho — continuei.

Ele me deu uns tapinhas nas costas.

— Contanto que reconheça isso, chefe.

Estava com o carro parado conforme a aguardava do lado de fora até que saísse do The Heights. Era meio que um combinado não dito que eu levaria Gia para casa depois do seu turno. Ainda não tinha pensado em como lhe contar que tinha consertado seu carro. Naquela noite, ela simplesmente passou andando por mim, embora eu soubesse que ela tinha me visto muito bem.

Conforme dirigi ao seu lado, ela brincou:

— Realmente temos que parar de nos encontrar assim.

— Entre.

Gia continuou caminhando.

— Acho que quero andar hoje.

— Não é seguro.

Ela começou a saltitar, seu cabelo castanho-escuro rebelde esvoaçando com o vento.

— Acho que vou arriscar.

Pelo jeito que ela me olhava, eu sabia que estava mexendo comigo.

— Mexa essa bunda para dentro do carro, Gia.

Ela deu risada, então abriu a porta do carro e se sentou no banco do passageiro.

Acendendo um cigarro, soprei a fumaça para fora pela janela.

— Merdinha teimosa — resmunguei, engatando a marcha e saindo rápido demais. Esse era um bom exemplo de como desopilava minha tensão sexual no meu Mustang. Estava levando uma surra ultimamente.

Sugando mais fumaça, olhei para ela.

— Conseguiu escrever alguma coisa ontem à noite?

— Sim, mais do que o normal, mas não tanto quanto esperava. Queria terminar o quarto capítulo, mas nem cheguei perto.

— O que acontece se não conseguir esse livro a tempo?

— Estou ferrada. Teria que devolver dez mil dólares que pagaram adiantados, os quais já gastei, e poderia acabar quebrando o contrato.

— Como se meteu nessa confusão?

— Bom, para muitas pessoas, fechar um contrato com uma grande editora é um sonho... não uma confusão. No meu caso, ganhei um concurso baseado nos três primeiros capítulos do livro, que ainda são os únicos completos. Quando ganhei, foi como se minha criatividade tivesse desaparecido. É uma merda.

— O que você fazia antes de ser autora?

Ela deu risada.

— Está preparado?

— Xiiiiii.

Baseado em seu alerta, as ideias começaram a surgir na minha mente. *Stripper*? Com certeza, tinha o corpo para isso.

Como se lesse minha mente, ela disse:

— Não é tão ruim ou louco.

— O que era?

— Bom, sabe quando você compra um cartão de presente? A frase brega de dentro? Era eu. Eu que escrevia.

— Tá brincando?

— Não. Trabalhei para uma empresa de cartões por alguns anos, escrevendo frases sentimentais.

— Na verdade, acho isso bem legal.

— Sabe o que era chato mesmo? Ter que escrever os cartões de Dia das Mães. Era uma merda.

Sabendo que a mãe de Gia tinha ido embora quando ela era pequena, me magoava ouvi-la dizer isso.

— Bom, tenho certeza de que você arrasava, apesar de ser difícil.

— É. Eu tentava.

— Por que parou de trabalhar nisso?

— Bom, consegui o contrato do livro e resolvi escrever em tempo integral. Claramente, não conseguia me sustentar assim. Estava me ferrando até esse cara mandão e tatuado me falar para ficar bonita e me dar um emprego.

— Fico feliz em ajudar.

Quando ela colocou as pernas no painel, quase saí da estrada. Gia segurou no meu braço por um segundo depois de praticamente se deitar no banco.

— Então — ela disse. — O que você fazia antes de se tornar o herdeiro rebelde de uma fortuna enorme?

— Eu era pau pra toda obra. Trabalhava em carros... Servia mesas. Fui tatuador por um tempo e...

— Sério? Pode tatuar alguma coisa em mim? Estava pensando em fazer uma tatuagem na minha lombar com uma frase sobr...

— Não. Não vai rolar.

Ela estreitou os olhos.

— Por que nã...

— Gia, esqueça.

Quando ela viu que eu estava falando sério, deu de ombros.

— Ok... você que sabe, mal-humorado.

O caminho estava silencioso até ela perguntar:

— Continue, termine de me contar o que costumava fazer. Tatuador... o que mais?

— Não importa o que fazia. Sempre trabalhei duro, ainda trabalho... Só é bem mais fácil ganhar dinheiro agora. Mas, como falei, sei que não há nada garantido.

— Sei que sabe. — Ela parou. — Como descobriu sobre seu pai?

Respirei fundo. O que essa garota estava fazendo comigo? Estava me fazendo me abrir, e eu não gostava nada disso.

Enfim, cedi e respondi sua pergunta.

— Minha mãe manteve a identidade dele em segredo por anos. Apesar de seu dinheiro, ela não queria nada com ele por causa do jeito que a tratava. Mas chegou a um ponto em que sentiu que eu deveria saber quem era meu pai. E acho que parte dela sentia que eu merecia uma parte do dinheiro, mesmo que a deixasse enojada. Eu não estava nem aí para o dinheiro. Na verdade, em alguns dias, queria que ele não existisse para não precisar lidar com eles. O dinheiro... os negócios... são as únicas coisas que nos ligam.

— Como seus pais se conheceram?

— Meu pai vivia uma vida dupla. Era casado quando começou a sair com minha mãe e a buscava no restaurante em que era garçonete. Vinha para Long Island para vê-la, mas nunca a levava para a cidade por medo de ser visto. Quando ela descobriu a verdade, foi o fim. Mas, nessa época, era tarde demais. Estava grávida e, de repente, descobriu que estava envolvida com um babaca rico e mentiroso.

— Já me contou que foi seu avô que cuidou para que você recebesse a herança.

— Foi. Meu avô controlava tudo na época. Na verdade, minha mãe falou com ele sem eu saber e contou sobre mim. Eu estava na adolescência na época. Ela não pediu nada, só quis que ele soubesse da minha existência. Acho que ele sabia o quanto o filho era um imbecil. Depois do teste de DNA, vovô refez o testamento para que eu recebesse uma parte igual de tudo quando eu fizesse vinte e quatro anos. Como pode imaginar, meu querido papai e meu irmão mais velho ficaram bem felizes com isso.

— Parece que seu avô é um bom homem.

Respirei fundo conforme as lembranças dele passavam pela minha mente.

— Era. Ele faleceu há dois anos. Por mais que, em alguns dias, desejasse nunca ter conhecido minha história, sempre fui grato a ele e pelo breve período que vivi com ele. Antes de ele morrer, sempre se esforçava para me visitar e garantir que eu estivesse bem.

Quando parei na casa dela, ficamos no carro por um tempo até ela se virar para mim.

— Quer entrar?

Sim.

— Não.

— Por que não?

— Você sabe por quê.

— Pensei que tivesse deixado claro para mim que nunca aconteceria nada entre nós.

— Exatamente.

— Então... qual é o problema de entrar se sabemos como as coisas estão? Além do mais, não estaremos sozinhos.

Isso era verdade. Ela morava com um monte de gente na república. Isso me fez sentir melhor, mas também me deixou sem uma desculpa de verdade para não aceitar sua proposta. *Só alguns minutos,* falei para mim mesmo.

Expirei, então desliguei o carro e saí.

Era uma propriedade linda – modéstia à parte –, à beira da água e extensa. Era tudo novinho lá dentro.

Havia duas moças e um cara na sala de estar vendo TV quando entramos. Várias caixas de pizza, garrafas de cerveja e guardanapos amassados estavam espalhados.

Gia me apresentou.

— Rush, estes são Caroline, Simone e Allan... três das pessoas que moram comigo. — Ela olhou para mim. — Este é Rush.

O proprietário da casa de vocês. Dei risada internamente.

— Oi — eu disse, analisando o cara. Eu tinha quase certeza de que o vira pela cidade acariciando outro cara.

Pelo menos, não precisava me preocupar com ele.

Nunca entendi como as pessoas conseguiam lidar com a questão de uma república. Eu nunca iria querer morar com tantos estranhos no meu pé o tempo inteiro. Mas sabia que, para muitos, essa condição era a única chance que tinham de morar nos Hamptons durante o verão. Detestava estar começando a ficar um pouco cansado desse tipo de coisa, de esquecer como era ser pobretão.

Gia apontou com a cabeça para que a seguisse. Eu tinha uma esperança secreta de que ela planejasse ficar na sala de estar principal.

— Aonde vamos?

— Ao meu quarto...

O sinal de alerta soou oficialmente em minha cabeça. Ir ao quarto de Gia era uma má ideia. Sem contar que andar logo atrás dela me deu a visão de sua bunda na calça preta justa que estava vestindo. Meu pau enrijeceu. O único motivo pelo qual estava concordando com isso era para provar que eu não tinha medo de ficar sozinho com ela.

— Bem-vindo ao meu humilde quarto. — Ela pulou na cama. — Dei sorte, porque acabei ficando com um quarto só para mim, sendo que a maioria dos outros precisa compartilhar.

Olhei em volta para a decoração majoritariamente lavanda.

— É bonito.

Ela continuou a se balançar na cama conforme olhou para mim. Seus peitos estavam balançando junto com ela.

— Parece que está tenso, Rush.

Mexendo no meu relógio, eu disse:

— Está tarde.

Gia inclinou a cabeça.

— Pensou mais um pouco na nossa aposta?

— Aposta?

— Aquela... em que eu paro de comer doce e você para de fumar.

É mesmo.

— Pensei, sim.

Ela arregalou os olhos ao se inclinar para a frente.

— E?

— Por que vamos fazer essa aposta mesmo?

— Estamos tentando salvar sua vida e me salvar da diabetes.

— Oh. Entendi. Então como funciona? — perguntei.

— Você para de fumar e eu paro de comer doce. Aí precisamos pensar em penalidades se não conseguirmos cumprir.

Eu tive uma ideia. Estivera enrolando para lhe contar que havia consertado seu carro porque não queria que ela questionasse minhas intenções. Essa era a oportunidade perfeita para ela descobrir indiretamente.

— Se eu perder, o que acha de eu consertar seu carro?

Seus olhos se iluminaram.

— Ah, meu Deus. Seria incrível! É triste se eu estiver torcendo para você vacilar e perder? — Ela sorriu.

— O que ganho se cumprir minha parte do acordo?

— Tem alguma coisa que você queira?

Seus lábios em volta do meu pau.

— Já sei! Se eu perder, vou dar o nome de Rush para o protagonista do meu livro.

Joguei a cabeça para trás, rindo. Não importava o que ela planejava me dar porque eu planejava perder de propósito.

— Então estamos de acordo.

— Legal. Começa imediatamente — ela disse.

Seus olhos me seguiram conforme comecei a andar pelo quarto. Seu armário estava aberto. Passando os dedos pelas roupas penduradas, vi um par de olhos me observando de cima da prateleira. Então outro par de olhos. E outro.

Alinhadas em uma fileira, havia as bonecas mais feias que eu já tinha visto na vida. O cabelo delas era todo bagunçado, e algumas pareciam bem deformadas.

— Que porra você tem aqui?

Ela não conseguia parar de rir.

— Essa é minha coleção de bonecas feias.

— Feias é apelido. Elas são horrendas! Como se fosse uma competição acirrada entre elas e Chucky. Você as coleciona?

— Aham. Não me pergunte como comecei... porque a resposta é mais fodida do que as próprias bonecas.

— Ok, bom, agora sabe que preciso perguntar. Como começou a colecioná-las?

Ela suspirou, preparando-se para me contar uma história.

— Antes de a minha mãe abandonar meu pai e eu... ela me deixou um presente de despedida. Era uma bonequinha. Não era uma boneca feia nem nada... era genérica... loira e com vestido rosa. O nome dela era Lulu. Enfim... quando cresci e percebi que ela nunca iria voltar, eu a queimei... Tipo, literalmente, levei-a para o quintal quando meu pai estava queimando madeira e a joguei no fogo.

— Puta merda.

— É. Bem, me arrependi imediatamente. Afinal de contas, era a única recordação que eu tinha da minha mãe. Então acabei pegando-a alguns segundos depois. Estava toda carbonizada e queimada pela metade, mas ainda dava para reconhecê-la. Gostei mais quando ficou imperfeita. Era um reflexo de como eu me sentia. Quando meu pai viu o que eu tinha feito, ficou tentando me fazer sentir melhor quanto a isso. No dia seguinte, quando voltou para casa do trabalho, trouxe a boneca mais feia que já se viu na vida, porque falou que Lulu precisava de uma amiga. Foi nesse momento que percebi que tinha o melhor pai do mundo. E foi nesse instante em que me apaixonei por bonecas feias.

Encontrei imediatamente a boneca a que ela se referia como Lulu e a ergui.

— Esta é a queimada, não é?

— É. E, depois desse dia, comecei a colecionar bonecas bizarras. Elas vão a todo lugar comigo.

Eu já curtia essa garota, e agora ela vai e me conta que jogou uma boneca na fogueira. Algo nessa história totalmente zoada simplesmente aqueceu meu coração frio.

— Que história fodida... mas meio que incrível ao mesmo tempo.

— Essa é a história da minha vida, Rush. — Ela andou até ficar perigosamente perto de mim.

Caralho, eu queria beijá-la.

Mas simplesmente andei em direção à porta e disse:

— *T'as de beaux yeux, tu sais.*

— Falando francês de novo, é? — Ela sorriu.

— Você queria saber o que significava. Significa *você tem olhos lindos, sabia?*

Gia ruborizou, e ficou linda pra caramba.

— Obrigada.

Essa foi minha deixa para ir embora.

— É melhor eu ir. Até amanhã.

Ela não discordou de mim conforme passei pela porta, atravessei a sala de estar e saí correndo no meu Mustang.

Naquela noite, visões de bonecas feias dançaram na minha mente. E, apesar de eu planejar perder a aposta de propósito, não encostei em nenhum cigarro.

CAPÍTULO 6

Rush

Eu não vou ao The Heights.

Estava andando de um lado para outro, sozinho, na minha sala de estar.

Eu não vou ao The Heights.

Mais passos.

Não tinha certeza de qual vício não estava me deixando sentar naquela noite. Agora fazia quase vinte e quatro horas que havia fumado um cigarro e meia hora a mais que tinha visto Gia pela última vez. Parecia que eu ia explodir.

Tinha que ser o cigarro. Nem sabia por que não havia fumado hoje, sendo que meu plano era perder a aposta idiota. Por algum motivo, queria ver se conseguia parar se quisesse. Pensar que eu preferiria ir ao The Heights do que fumar me deixava bravo de verdade.

Me jogando no sofá, peguei meu celular. Não era de um cigarro nem de Gia que eu precisava — eu precisava transar. Procurei nos meus contatos para ver se alguns nomes me interessavam.

Amy. Ruiva. Curvas matadoras. Gostava de ficar no The Heights e tentar me distrair. A última coisa de que eu precisava era outra distração no trabalho.

Blair. Curtia um sexo estranho e excêntrico. Não que eu me importasse, mas esse tipo de coisa precisa de um certo clima que eu não estava a fim hoje.

Chelsea. Eu a vi pela cidade na semana passada de mãos dadas com um cara todo almofadinha. Eu não tinha muitas regras na vida, mas não encosto no que pertence a outra pessoa. Apagada.

Darryl. Me enviou mensagem no Memorial Day dizendo que não viria até agosto deste ano. Não dava para esperar tanto.

Everly. Caramba. *Everly*.

Se tinha alguém que poderia me ajudar a parar de pensar nas coisas era aquela mulher. Melhor cabeça que já tive na vida. Ficamos juntos algumas vezes no verão passado, e ela tinha me enviado mensagem há algumas semanas contando que estava de volta. A melhor parte de estar com Everly era que ela me fazia sentir usado. Me dizia exatamente o que queria e como queria e, quando terminávamos, ela se levantava, vestia-se e me dava um beijo na bochecha antes de dizer *Obrigada. Até mais.*

Perfeito. Exatamente do que eu precisava.

Meu dedo pairou acima do seu nome enquanto eu pensava se falava com ela. Após alguns minutos, joguei o celular no sofá. Que porra havia de errado comigo? Eu estava agindo como se Everly fosse um remédio de gosto ruim que eu tivesse que tomar para me curar da gripe. Quando, na realidade, não havia nada de errado comigo.

Pare de agir como um covarde.

Antes que eu pudesse pensar mais ainda, peguei o celular de novo e digitei uma mensagem curta. Por que não deixar para o destino? Quem sabe? Talvez ela tivesse conhecido alguém e não estava mais disponível para o encontro.

Rush: Oi.

Tive que rir de mim mesmo depois de enviar. *Ótima frase para começar. Demorou dez minutos para pensar nessa merda. Valeu, Rush. Valeu mesmo.*

Menos de um minuto depois, meu celular tocou com uma resposta.

Everly: Na sua casa ou na minha?

Porra. Encostei a cabeça no sofá. Parece que o destino também acha que preciso transar. Pelo menos ia me fazer tirar Gia da boca e o cigarro da cabeça. Espere. Não. O certo seria tirar Gia da cabeça e o cigarro da boca. *Ou não.*

Passei as mãos no cabelo, então respirei fundo e soltei o ar de forma audível antes de ligar o foda-se.

Rush: Na sua.

Basicamente, Everly era minha versão feminina. O eu antigo, de qualquer forma. Direto ao ponto e tratava sexo como um prazer mútuo trocado por dois corpos. Sentimentos não faziam parte disso.

Os pontinhos pularam enquanto ela digitava.

Everly: Esteja aqui daqui a uma hora... ou começo sem você.

Esfreguei as mãos no rosto e decidi que não passaria mais sequer um minuto me sentindo culpado. Não havia motivo para sentir culpa. Gia era uma funcionária, e talvez uma amiga no pior sentido da palavra. Eu não lhe devia celibato só porque gostava de olhar para sua bunda e de levá-la para casa. Foda-se.

Embora soubesse que não estava fazendo nada de errado, não conseguia parar de me sentir esquisito e bravo. Continuei sentindo isso enquanto preparava algo para comer e começava a me aprontar para ir à casa de Everly. Normalmente, eu gostava de colocar música alta enquanto tomava banho, mas, naquela noite, estava tão aéreo que não tinha me lembrado de ligar o som. E foi por isso que consegui ouvir meu celular tocar no outro quarto.

Na primeira vez, ignorei.

Na segunda, saí do banho e enrolei uma toalha na cintura enquanto xingava.

— O que foi? — falei bravo no telefone. A água escorria por todo o chão do meu cabelo encharcado.

— Chefe. É o Oak.

— O que quer que seja, resolva. Não estou disponível hoje. Vou sair.

— Mas é a Gia, Rush.

Jesus Cristo. Será que todos nós poderíamos apenas fingir que ela não existia naquela noite para eu poder transar em paz?

— Apenas resolva o que quer que seja.

— Chefe...

— Resolva!

Eu estava quase desligando quando ele falou de novo.

— Ela se machucou, chefe. Entrou no meio de uma briga que começou no bar. Pensei que fosse querer saber.

Meu coração pareceu começar a ricochetear contra minha caixa torácica.

— Onde ela está? Está bem?

— Vai ficar bem. Está sentada no escritório. Mas levou um bom soco no olho. Provavelmente vai ficar roxo.

— Já estou indo.

Até Oak pareceu nervoso quando viu minha cara. Devia estar saindo fumaça das minhas orelhas pelo tanto que eu estava quente. Fui direto para o escritório, ignorando qualquer um que tentasse falar comigo.

Gia pulou da cadeira quando abri a porta de repente. Alguma coisa caiu no chão conforme sua mão voou para o peito.

— Você me assustou pra caramba, Rush!

Me aproximei e ergui seu queixo. Seu olho esquerdo estava inchado e já começava a ficar roxo debaixo dele.

— Que porra aconteceu? Está machucada em mais algum lugar?

Ela balançou a cabeça.

— Não. Estou bem. Foi só meu olho. Não é grande coisa. Oak me fez sentar aqui e colocar gelo. Mas estou bem. Posso voltar ao trabalho.

Percebendo o que tinha caído quando entrei e a assustei, me ajoelhei e peguei o saco de gelo.

— Tem certeza de que não dói mais nada?

— Tenho.

— Como isso aconteceu?

Embora eu tivesse visto que ela estava bem, meu coração ainda batia a uma velocidade letal. O som do sangue sibilando nos meus tímpanos dificultava ouvir.

— Eu estava lá em cima... — Gia começou a dizer.

— Não você — eu a cortei e me virei na direção da porta aberta. — Oak! — berrei.

Ele devia estar parado perto da porta aguardando.

— Sim, chefe.

Fechei os olhos e respirei fundo, tentando permanecer calmo, mas a única imagem que eu via quando os fechava era de um punho batendo no rosto delicado de Gia. Alguém iria pagar por isso. E, no momento, era o homem que contratei para garantir que esse tipo de merda não acontecesse no meu bar.

— Como essa *porra* aconteceu? — perguntei, irado.

O homem gigante olhou para o meu rosto e realmente deu um passo para trás. *Esperto*.

— Eu não vi acontecer. Estava na parte de baixo, e aconteceu no terraço, perto do bar. Dois caras se envolveram nisso porque um queria pagar a bebida da mulher do outro. Gia tinha subido para trazer uma garrafa de Patrón porque estava acabando. Ela tentou apartar a briga e ficou entre os dois caras.

Não ouvi nada depois da primeira frase.

— Você *não viu* acontecer? Não é por isso que te pago? Para ficar de olho neste lugar?

Oak baixou a cabeça.

— Desculpe. Foi culpa minha. Deveria ter visto.

— Não é culpa dele — Gia se intrometeu.

— Cale a boca, Gia. Deixe que eu cuido disso.

Meu foco estivera em Oak, mas vi os olhos de Gia se arregalarem com minha visão periférica. Ela bateu o saco de gelo na mesa a fim de liberar as mãos para colocá-las na cintura.

— Cale a boca? Você acabou de me mandar calar a boca?

— Gia...

— Não me venha com "Gia". Não pode simplesmente entrar aqui, começar a gritar com Oak e me mandar calar a boca.

Baixei a cabeça para nosso rosto ficar da mesma altura. Eu estava prestes a gritar, lembrá-la de que o bar e os funcionários eram meus, então eu tinha todo o direito de entrar onde quisesse e brigar com quem eu bem entendesse. Mas, então, vi seu olho de novo. Uma dor no meu peito me lembrou de que eu precisava ir com calma.

Me virei para Oak.

— Saia. Feche a porta.

Não precisei falar duas vezes.

Quando ficamos somente Gia e eu no pequeno escritório, respirei fundo algumas vezes e me concentrei no que era importante.

Segurando seu rosto, perguntei:

— Tem certeza de que está bem?

Seu rosto suavizou junto com seu tom.

— Estou bem. De verdade.

Delicadamente, passei o polegar na parte de baixo do seu olho, que tinha começado a inchar. Ela se encolheu.

— Você caiu?

— Não. Só cambaleei para trás. Tentei segurar o braço de um dos caras para impedir que batesse no outro, e um cotovelo acertou meu olho.

— Erro de novata. — Analisei-o mais de perto. — Nunca se segura no braço de um cara em uma briga.

— O que eu deveria ter feito?

Olhei em seus olhos.

— Não deveria ter feito nada. Oak deveria ter dado uma chave de braço no cara ou entrado no meio dos dois.

— Mas Oak não estava lá.

Balancei a cabeça. *Lidaria* com isso mais tarde. No momento, precisava me certificar de que fosse apenas um olho roxo.

— Alguma visão dupla?

— Não.

— Siga meu dedo. — Mexi meu indicador para um lado e para o outro a fim de testar o movimento de seu olho.

— Dor de cabeça?

— Não.

— Algum sangramento antes de eu chegar aqui? No nariz ou em outro lugar?

— Não.

Respirei fundo.

— Acho que vai ficar bem. Estará com um belo de um olho roxo pela manhã. Mas o gelo vai impedir que o inchaço piore. — Peguei o saco de gelo na mesa. — Continue colocando. Vou te levar para casa agora.

Enquanto Gia foi pegar sua bolsa, conversei com Oak e descobri que os dois babacas que tinham brigado tinham ido embora com olhos roxos graças ao meu segurança. Era o mínimo que ele poderia fazer.

Assim que Gia e eu saímos, acendi um cigarro. A fumaça densa revestiu a queimação na minha garganta como uma capa.

— Ei. Você está fumando!

Olhei para ela.

— Caralho, estou mesmo. Culpa sua.

— Culpa minha? Por que é minha culpa?

— Você me assustou pra cacete. Me faça um favor. A partir de agora, se vir uma briga, vá para a direção contrária.

Ela sorriu de orelha a orelha.

— Por que está sorrindo?

— Você gosta de mim. É fofo ter ficado assustado.

Resmunguei e joguei o cigarro meio fumado no chão. Conforme baixei os olhos para pisar nele, eles pararam no decote de Gia. Ela estava com uma blusa fina e seus mamilos marcavam no tecido. Fiquei com uma vontade imensa de mordê-los, pegar toda a minha raiva e frustração guardadas e chupar aquelas coisas até ficarem doloridos pra caramba. Ergui os olhos e encontrei os dela.

— Não sou fofo. Acredite em mim.

Inesperadamente, Gia jogou os braços em volta do meu pescoço e me abraçou. Seus peitos e aqueles mamilos protuberantes ficaram pressionados no meu peitoral. Foi bom demais. O sangue ainda soava nos meus ouvidos, correndo para baixo. Ela me beijou na bochecha e se afastou.

— Por que fez isso?

— Por várias coisas. Por ser bem gente boa debaixo dessa casca dura que você usa. Por vir se certificar de que eu estava bem. Porque vai consertar meu carro, já que perdeu a aposta. E... por parar na 7-Eleven a caminho de casa para eu poder comprar bala.

Balancei a cabeça e dei risada.

— Vamos, novata.

Gia se jogou na sua cama.

— Vai deitar ao meu lado um pouquinho?

— Não é uma boa ideia.

Ela fez beicinho.

— Mas meu olho está doendo muito.

Meu lábio se curvou.

— Você é muito vacilona tentando abusar da minha empatia. Não vou cair na sua.

Ela sorriu ao ser pega.

— Não vai cair na minha lábia?

Balancei a cabeça.

— Não vou cair na sua graça.

— Não vai entrar na minha onda?

Entreguei-lhe o gelo que tinha levado comigo.

— Coloque isso de novo por quinze minutos. E, não, não vou te dar trela.

Seu sorriso era lindo pra caralho. Fui até o armário das bonecas feias e peguei a original. O lado esquerdo do seu rosto estava deformado onde estivera o olho. Era o mesmo lado do olho roxo de Gia. Coloquei-a na cama ao seu lado.

— Agora vocês parecem gêmeas.

Meu celular vibrou no bolso. Também havia vibrado a caminho da casa de Gia. Só da segunda vez foi que percebi que poderia ser Everly. Fui eu que entrei em contato e, depois, a deixei esperando.

Gia olhou para o bolso da minha calça.

— Não vai atender?

— Não. Agora não.

Ela me analisou por um minuto, então inclinou a cabeça.

— É uma mulher?

— Não olhei, então como eu poderia saber?

Ela semicerrou os olhos.

— É uma mulher, não é? Querendo te ver.

Olhei para os meus pés.

— É, eu tinha planos para esta noite.

— Ah. Entendi... — A mágoa em sua voz me matou. — Então é melhor você ir. Não quero atrapalhar sua diversão.

Minha cabeça, a que estava anexada aos meus ombros, gritou *aproveite a deixa... corra!* Mas, por algum motivo inexplicável, o que acabei dizendo foi totalmente o oposto.

— Vá para o lado.

Seu rosto se iluminou, e ela jogou a boneca feia no chão ao dar espaço e se virar de lado.

Ergui as sobrancelhas.

— É assim que você trata a boneca que ganhou?

Ela deu uns tapinhas ao seu lado na cama.

— Não dá para deixá-la pior do que está.

Sabendo que era uma má ideia, mas fazendo mesmo assim, me deitei na cama ao seu lado. Encarei o teto, tenso.

Gia parecia estar bem mais confortável do que eu. Ela se aproximou mais e apoiou a cabeça no meu peito.

— Consigo ouvir seu coração batendo. Parece que está batendo rápido.

É porque está. Me sentia o Lobo Mau deitado na cama da Chapeuzinho Vermelho, e eu realmente queria comê-la.

Olhei para baixo, para seus grandes olhos olhando para mim.

Que grande esse olho,

Do tipo que enlouquece qualquer lobo.

Ela sorriu inocentemente e se aconchegou mais perto. Seus seios firmes empurraram a lateral do meu corpo.

Que grandes esses peitos,

Do tipo que maltratam sem jeito.

Ela bocejou.

— Fiquei tão cansada de repente.

Sem pensar, ergui o braço e comecei a acariciar seu cabelo. Pareceu tão natural e certo.

— Sua adrenalina está baixando. Atingiu o pico quando entrou na briga e continuou alta por um tempo.

Ela suspirou.

— É. Desculpe por fazer isso. Só meio que agi e não pensei. Também sinto muito por arruinar seus planos desta noite.

— Tudo bem. Não eram importantes.

Alguns minutos depois, ouvi sua respiração mudar e pensei que tivesse dormido. Então ouvi sua voz sonolenta.

— Rush?

— Sim?

— Não sinto tanto por ter arruinado seus planos desta noite.

Sorri.

— Não sinto tanto por terem sido arruinados também, Shakespeare. Agora, durma um pouco.

CAPÍTULO 7

Gia

Acordei e a cama estava vazia.

Confusa, não tinha certeza absoluta se tinha imaginado toda a noite interior. Tinha caído no sono usando o peito de Rush como travesseiro, não tinha?

Erguendo a cabeça, percebi que latejava enquanto me arrastava para o banheiro. Após um rápido xixi, lavei as mãos e cometi o erro de me olhar no espelho.

Fiz careta ao ver meu reflexo. Meu olho tinha uma sombra preta adoravelmente arroxeada, e a pálpebra superior estava tão inchada que cobria meu olho. Encostei em uma protuberância rosada perto da maçã.

— Ai. Merda.

Felizmente, não precisava trabalhar hoje, então resolvi voltar para a cama. Alguns minutos depois de ter fechado os olhos, comecei a pegar no sono de novo quando ouvi um barulho. Olhando para cima, vi Rush ao lado da cama, mexendo em uma sacola de plástico.

— O que está fazendo?

— Desculpe. Não quis te acordar tão cedo. Tinha pensado em ir ao mercado antes de eu voltar para casa. Mas nós dois dormimos ontem à noite.

Me ergui em um cotovelo.

— O que é tudo isso?

— Fui à farmácia comprar suprimentos para você.

— Suprimentos?

— Para seu olho roxo. — Ele ergueu um frasco de Motrin e um de vitamina C antes de colocar ambos na mesa de cabeceira. — Motrin é para a dor de cabeça que provavelmente está sentindo nesta manhã. A vitamina C é para fortalecer seus vasos sanguíneos e acelerar a cura do olho roxo.

Colocando a mão dentro da sacola, ele puxou um pote de plástico de... *isso é abacaxi?*

— Abacaxi tem enzimas que reduzem a inflamação e aceleram a cura — ele explicou.

— Sério?

— Sim. — Ele pegou o último item da sacola. Parecia um tecido de silicone azul com algo macio dentro. — Compressas quentes no segundo e no terceiro dia. Pode colocar isso no micro-ondas para aquecer. Não esquente muito.

— Certo. — Dei risada. — Como sabe tanto sobre isso?

— Já tive minha cota de brigas na vida.

— Ah.

Ele se abaixou e beijou minha testa.

— Preciso ir. Está de folga hoje, certo?

— Sim.

— Que bom. Descanse um pouco. Tenho que ir para a cidade.

— Para quê?

— Uma reunião de Conselho idiota para uma empresa da qual participo. Meu avô me deixou um monte de ações com direito a voto. Poderia ser um voto ausente ou simplesmente não votar, mas quando vou deixo meus queridos pai e irmão irritados. Então é meu compromisso aparecer em cada uma delas.

Dei risada.

— Gostaria de ser uma mosquinha na parede.

— Fique quietinha hoje.

Rush bateu o dedo na ponta do meu nariz e se virou para sair. Ele tinha ficado a noite toda, ainda assim, eu não queria que fosse embora.

— Espere! — Tirei as cobertas. — Sua reunião é em Manhattan, certo?

— Sim.

— Em que região?

— O escritório do meu pai é na Madison Avenue.

— Oh, que interessante. É onde meu agente literário fica. Vai de trem ou de carro?

— De carro. É um pé no saco, mas a reunião é só à uma, então vou esperar a hora do rush da manhã passar.

— Posso pegar uma carona com você?

Ele uniu as sobrancelhas.

— Para a cidade? Você quer ir à reunião do Conselho?

— Não. Meu pai trabalha lá. Não o vejo há um tempo, então seria divertido surpreendê-lo e levá-lo para almoçar.

Rush deu de ombros.

— Contanto que não encoste no rádio e nem me encha por causa do cigarro...

Pulei da cama, esquecendo toda a minha dor de cabeça e meu olho dolorido.

— Que horas devo estar pronta?

— Às dez. Vou fazer umas coisas, depois vou para casa tomar banho. Passo aqui e pego você antes de seguir caminho.

— Ok!

— Trouxe roupa para se trocar?

Olhei por cima do ombro para o banco de trás do carro de Rush. Não havia nenhuma roupa dobrada nem um terno pendurado.

— Não gosta do que estou vestindo?

Se fosse ser sincera, eu adorava a roupa dele. Jeans rasgado, botas de cano alto pretas no estilo militar, camiseta branca e jaqueta de couro. Era como se James Dean tivesse voltado à vida, só que mais gostoso e tatuado.

— Gosto do estilo. Mas não é exatamente apropriado para uma reunião de Conselho, é?

Um sorriso maldoso se abriu no rosto de Rush.

— Não. Nem um pouco.

— Seu pai vai falar alguma coisa para você? Fazer uma cena por causa do jeito que está vestido?

— Eu o respeitaria mais se ele fizesse. Ele sempre me julgou somente pelo que pensa que sou. Nunca se deu ao trabalho de me conhecer.

— Bom, é ele que está perdendo. Porque eu, particularmente, acabei descobrindo que, debaixo desse exterior rebelde, há um homem que não deixa sua funcionária novata ir andando para casa, mesmo que ela tenha errado metade das bebidas que fez para os clientes e o irritado.

— Obrigado. Mas acho que você enxerga o melhor nas pessoas. E, por causa disso, às vezes, perde parte da equação.

— Do que está falando?

— Pensa que te levei para casa porque sou bonzinho. Não sei se é esse o caso. Para ser sincero, acho que sua aparência provavelmente teve algo a ver com o fato de eu ser um cara decente e lhe oferecer uma carona.

— Não acredito nisso nem por um minuto. Acho que ofereceria uma carona para casa para qualquer funcionário. Só não quer que as pessoas saibam disso. Além do mais, você mal tinha notado como eu era na noite em que nos conhecemos e você me levou para casa.

Rush acendeu um cigarro e puxou um longo trago de fumaça. Soprando pela janela, ele se virou para mim.

— Camiseta branca com decote em V e fechada com um cadarço, sutiã preto por baixo. Jeans rasgado em um joelho. O esquerdo, especificamente. Cabelo solto, comprido e ondulado. Óculos.

Fiquei boquiaberta. Ele tinha acabado de descrever perfeitamente o que eu estava vestindo na noite em que nos conhecemos, até o sutiã que eu nem tinha percebido que dava para ver por debaixo da camiseta.

Rush me olhou e flagrou a surpresa no meu rosto.

— Aliás, os óculos eram sexy pra caralho. Deveria usá-los mais vezes.

Dei risada.

— Acho que você tem uma memória boa demais, e seus motivos foram mais altruístas do que quer que eu acredite.

Ele soltou a fumaça.

— Você que sabe. Mas estou te mostrando um lobo e, ainda assim, quer me ver como ovelha.

O celular de Rush tocou. Olhando o nome que apareceu, falou que era um distribuidor de bebida que estivera tentando entrar em contato e ele tinha que atender. Claro que infringiu as leis de trânsito e falou segurando o celular na orelha em vez de colocar no viva-voz. Olhei pela janela enquanto ele discutia com alguém sobre a quantidade de caixas de vodca que foram entregues.

Tínhamos acabado de entrar na via expressa de Long Island, com mais duas horas de viagem pela frente. Quando perguntara a Rush naquela manhã se poderia pegar uma carona para a cidade, era mais uma estratégia para passar mais tempo com ele. Mas, agora que estava chegando perto de surpreender meu pai para almoçar, eu estava bastante empolgada com isso. Fazia, no mínimo, dois meses que eu não o via. Conversávamos por telefone vários dias por semana, mas, normalmente, não ficávamos tanto tempo sem nos vermos.

Quando Rush desligou, eu ainda estava pensando no meu pai.

— Quando eu era criança, meu pai e eu costumávamos fazer uma viagem de carro todo verão — contei.

Ele jogou o celular no painel.

— Ah, é? Aonde vocês iam?

Dei de ombros.

— Nenhum lugar chique. Não tínhamos muito dinheiro, mas meu pai sempre se certificava de que viajássemos nas férias. Às vezes, íamos para a Pensilvânia, às vezes o Maine. Certas vezes, íamos até a Flórida. Íamos fazendo jogos de carros a viagem inteira. Nem sei se são jogos de verdade ou se meu pai que os inventava.

— O quê? Tipo o jogo da placa em que precisa descobrir todos os estados?

— Não. Sempre eram jogos em que tínhamos que criar histórias e tal. Meu preferido era o *felizmente-infelizmente*.

Rush olhou para mim e voltou a olhar para a estrada.

— Nunca ouvi falar.

— Uma pessoa fala algo alegre que começa com *Felizmente* e, então, a outra pessoa tem que inventar uma coisa infeliz sobre a situação anterior. Se você conseguir criar uma história infeliz para a história feliz, faz um ponto. Três pontos e a pessoa ganha.

— Não entendi.

— Tipo assim... — Bati meu dedo no lábio e encarei para fora da janela até pensar em alguma coisa. — *Felizmente*, Rush ia para a cidade hoje e pude pegar uma carona. Agora você precisa inventar a próxima parte, relacionada à minha parte, e sua frase tem que começar com infelizmente. Vá em frente. Tente. Vou falar a minha de novo. *Felizmente*, Rush ia para a cidade hoje e pude pegar uma carona.

Rush sorriu, mantendo os olhos na estrada.

— Infelizmente, Gia se lembrou desse jogo idiota pra caralho e arruinou a carona para a cidade.

— Isso! É assim mesmo. Só que você é um babaca.

Rush deu risada.

— Vou começar de novo agora que você pegou o jeito. — Sorri. — Felizmente, Rush perdeu o encontro dele ontem à noite, o que significa que foi poupado de pegar um horroroso piolho-caranguejo.

Ele balançou a cabeça.

— Infelizmente, agora ele está com as bolas duras e vai precisar do gelo emprestado que Gia usou depois de sua briga de bar ontem à noite.

— Felizmente, Rush tem uma mão direita forte e pode cuidar desse problema mais facilmente do que cuidar de uma IST.

— Infelizmente, o pau de Rush sabe a diferença entre bater uma e estar dentro de uma mulher.

Dei risada.

— Você é muito bom nisso! De uma forma distorcida.

— Ah, é? Só aguarde. Na volta para casa, eu que vou começar todas as histórias. E não tenho nada melhor para fazer na minha reunião do Conselho o dia todo, então vou pensar em muita merda para você ter que responder mais tarde.

Por que eu estava meio que ansiosa por isso?

Quando continuamos dirigindo, caiu minha ficha de que estivera passando esse tempo todo com Rush e sequer sabia seu sobrenome.

Me virei para ele.

— Ei... Nunca perguntei. Qual é o seu sobrenome?

Sua mandíbula ficou tensa.

— Isso é uma pergunta meio aleatória...

— É, bem, é que acabei de perceber que é meio estranho eu não saber.

Ele respirou de forma dura.

— Não precisa saber meu sobrenome.

— Você dormiu na minha cama ontem à noite. Acho que o mínimo que pode fazer é me contar seu sobrenome. Além do mais, não é como se eu não conseguisse simplesmente perguntar para alguém no trabalho.

— Na verdade, o único que sabe é Oak. E ele tem instruções severas de não falar para ninguém... isso inclui você, Gia Mirabelli.

— Ah, meu Deus. Isso é muito suspeito. — Dei risada. — Por quê?

— Porque as pessoas não precisam saber da porra da minha vida.

— É o seu *nome*! Praticamente não é uma informação privada.

— Para mim, é.

Me inclinei um pouco. Minha voz foi baixa e sexy.

— Vamos. Me conte.

— Não — ele respondeu bruscamente.

— Por quê?

Silêncio.

Mais silêncio.

Ele nem estava me respondendo mais. Eu estava ficando mais curiosa a cada segundo que passava. Criei um plano que esperava que funcionasse.

Quando comecei a acenar para o motorista de um caminhão ao nosso lado, ele gritou:

— Que porra está fazendo?

— Se não me contar seu nome, vou tirar a roupa para aquele motorista de caminhão.

O motorista buzinou para mim e sorriu. Eu não ia realmente fazer isso, mas não tinha como Rush saber.

Seu Mustang guinou um pouco para o lado.

— Não faria isso...

Arregalei os olhos.

— Ah, é? Me observe.

Uma veia em seu pescoço saltou conforme comecei a erguer a camiseta. Ele ia me contar seu sobrenome ou iria bater o carro. Assim que o tecido estava quase inteiro erguido, Rush desistiu.

— Meu nome é Heathcliff Rushmore! — Soltou o ar e resmungou: — Porra.

Heathcliff Rushmore?

Heathcliff?

Rushmore?

Cobri a boca.

— Oh... que interessante.

Ele parecia estar muito bravo consigo mesmo.

— Está feliz agora?

Sorri.

— Na verdade, estou, sim. — Repeti para mim mesma: — Heathcliff Rushmore... Heath... Heath Rushmore... humm.

— Meu nome é igual ao do meu avô.

Estalei o dedo.

— Então é por isso que você atende por Rush...

Ele fingiu surpresa.

— Uau... você é esperta mesmo.

— Cale a boca. — Dei risada, depois disse: — Obrigada por me contar.

Ele abriu um sorriso hesitante.

— Não me deu muita escolha, pirralha.

CAPÍTULO 8

Rush

— Heathcliff. É bom te ver, filho. — Meu pai me deu um tapinha nas costas, interrompendo minha conversa com Gerald Horvath, o advogado do meu avô e sempre o único rosto amigável comigo na sala.

— Edward. — Assenti.

Meu pai e meu irmão detestavam minha existência, mas as aparências eram importantes para eles. O desdém se escondia debaixo de um sorriso fingido quando ninguém estava por perto. Principalmente quando esse alguém tinha poder de voto, como Gerald.

O advogado do meu avô tinha acabado de me contar os detalhes sórdidos do objetivo da reunião de hoje. Vanderhaus possuía imóveis comerciais por toda Manhattan, e a votação de hoje era para aprovar a venda de uma propriedade enorme sem revelar certas coisas ao comprador. O Conselho não estava de acordo. Meu irmão, Elliott, e meu pai tinham quarenta e nove por cento do poder de voto da empresa e sempre estavam unidos. Eu tinha vinte e cinco por cento, o que sabia que tinha sido estrategicamente decidido pelo meu avô. Individualmente, meu irmão e meu pai tinham vinte e quatro e meio por cento cada, então meu voto superava o deles. Mas, unidos, eles conseguiam derrubar muitos votos, já que só precisavam convencer um por cento para obter a maioria. Aparentemente, hoje, a votação era Davi *versus* Golias, e eles ainda não tinham conseguido garantir o compromisso de ninguém para votar com eles ainda.

— Seu irmão e eu adoraríamos conversar, se eu puder te roubar de Gerald por alguns minutos.

Gerald sabia que nós três não nos dávamos bem, porém se curvou graciosamente como sempre.

— Claro. Sem problemas. Estou vendo um queijo dinamarquês me chamar ali antes de começarmos, de qualquer forma.

Assim que Gerald se afastou, a máscara do meu amado pai caiu conforme Elliott se juntou a nós.

— Quanto você quer para votar conosco?

Meu pai sempre presumira que era questão de dinheiro comigo e com minha mãe. Ele não conseguia compreender como alguém sem dinheiro preferiria manter sua moral e respeito próprio em vez de ganhar um dinheiro rápido.

Dei um gole em uma garrafa de água.

— Deixe-me entender melhor. Vocês compraram um lar de idosos de que a comunidade precisava muito. — Apontei para o meu irmão. — Meu palpite é de que foi você que negociou a compra, prometendo ao vendedor que tinha total intenção de mantê-lo aberto, porém, de alguma forma, essa promessa não está no contrato. Então, vocês demoliram o lugar, junto com outras casas que compraram ao redor. Tudo para ter lugar para um shopping de oito andares que se pode encher de um monte de franquias caríssimas.

Meu irmão me olhou de cima a baixo. Deve ter chupado um limão que deixou seu rosto daquele jeito logo antes de chegar em nossa conversa adorável.

— Te digo uma coisa... — ele disse — ... você vota a nosso favor, e eu vou me certificar de deixarmos espaço para uma franquia masculina decente e com preço moderado e ver se consigo vinte e cinco por cento de desconto para você.

Sorri e continuei, sem me incomodar em trocar farpas com meu meio-irmão arrogante.

— Ainda não tinha terminado minha história. Então você descobre que o solo debaixo do prédio que acabou de derrubar está contaminado com chumbo e uma lista enorme de outras toxinas. Vai custar mais de um milhão para limpá-lo, sem contar atrasos na obra e a burocracia com o departamento de engenharia. Agora que o shopping está fora de questão, vocês querem vender a propriedade para outra empresa de lar de idosos que está interessada em construir um novo asilo no local, e vocês não têm planos de revelar para o comprador o que descobriram.

— Não seja ingênuo — meu pai repreendeu. — É no mundo dos negócios que estamos. Não em um estúdio de tatuagem em que você decide não estragar a pele da bunda de uma garota bêbada porque ela não está pensando direito para ter aquela rosa que sempre quis tatuar na nádega esquerda. É *caveat emptor*, comprador consciente, e não temos obrigação legal de mimar um comprador.

— Não têm obrigação legal. E quanto à obrigação ética?

— Está sendo ridículo. Sabe quanto dinheiro todos nós podemos perder se formos obrigados a ficar com essa terra e fazer a limpeza?

— Foi erro da empresa ter comprado a propriedade sem testar o solo. É a empresa que deve pagar por isso. Pelo que sei, o lar de idosos que lhe vendeu a propriedade tinha feito um estudo ambiental antes de construir o lugar há sessenta anos. Não tinham como saber o que vazava para o solo dos postos de gasolina próximos ao longo dos anos. E, se tivesse mantido o lar de idosos na propriedade, como falou à comunidade que planejava, a questão não teria aparecido também.

Meu irmão abotoou o terno e olhou para nosso pai.

— Falei para você que era perda de tempo tentar fazê-lo entender de negócios. Pode tirar o garoto tatuado do moletom, mas nunca consegue tirar o moletom do garoto. — Virou-se para mim. — Com esse tipo de perda, e do jeito que tenho certeza de que vai conduzir outros negócios que nosso avô deixou para você, vai voltar a tatuar criminosos rapidinho.

Dei uma piscadinha para o meu irmão.

— Não os bêbados. Lembre-se de que sou o irmão honesto que acredita em não tatuar rosas nas bundas.

Felizmente para mim, o secretário avisou que a reunião começaria. Nas duas horas seguintes, todos ficamos sentados em volta da mesa ouvindo meu pai e meu irmão falarem merda. Eu precisava admitir. Eles contaram uma história tão boa que, por um minuto, quase acreditei que votar a favor deles para endossar a venda sem revelar a contaminação da propriedade era a melhor coisa para a comunidade.

Tivemos um intervalo antes da votação formal, e saí para fumar um cigarro. Estranhamente, era mais fácil respirar com a fumaça densa e cheia de nicotina preenchendo meus pulmões do que naquela sala chique.

Na volta para a reunião, vi meu irmão no fim de um corredor meio deserto com uma mulher. Quase não percebi que era ele, já que seu rosto todo estava enterrado no pescoço da mulher – uma mulher que não era sua esposa. Monte de merda.

Ele entrou na reunião no último minuto, conversando com uma mulher do Conselho e com seu sorriso presunçoso de sempre. Eu tinha visto aquela moça algumas vezes. Me lembrava de que ela era herdeira de uma fortuna que seu falecido marido deixara e tinha sotaque britânico – Maribel alguma coisa era seu nome. Ambos se sentaram, na diagonal entre um e outro, e a reunião continuou. Não tendo dado uma boa olhada na mulher do corredor, eu realmente esperava que não fosse ela, e que ele não estivesse transando com uma mulher do Conselho.

— Certo, vamos acabar com isso — meu pai disse. — O secretário aqui está com o poder de voto de todos em seu notebook, então tudo o que precisamos fazer é ouvir um sim ou um não para a venda. Ele vai contar o resultado quando terminarmos.

Então, o secretário começou a chamar os nomes e as pessoas votaram.

— Não.

— Não.

— Não.

— Não.

Depois do quarto membro votar não, olhei para o meu irmão. Ele não parecia nada preocupado. Quando chegou minha vez, meu pai me lançou um olhar de desgosto por votar com minha consciência.

Todos os membros votaram não, até chegarmos ao voto que faltava, além do meu pai e meu irmão – a mulher que entrou com meu irmão. Ela olhou para ele antes de votar. *Caralho*. Seus olhos se fecharam um pouco e, dando uma olhada melhor, seus lábios inchados confirmavam que ela era a mulher do corredor.

— Maribel Stewart? Seu voto?

— Sim.

Caralho.

Eles só precisavam de uma pessoa votar a favor.

Fiquei sentado até todo mundo, exceto meu irmão e meu pai, saírem da sala. A expressão do meu irmão era tão hipócrita que tive vontade de ajustá-la para ele.

— Não sei como você dorme à noite — eu disse.

— Tenho uma cama de dez mil dólares feita para um rei. — Elliot sorriu.

Me levantei.

— Preferiria dormir no chão e ter a consciência limpa.

Ele ajustou sua gravata e olhou para cima para mim.

— Adequado, porque seu lugar é no chão.

Depois do meu encontro horroroso com minha família, enviei uma mensagem para Gia para ver onde ela estava.

Rush: Cadê você?

Ela respondeu alguns segundos depois.

Gia: No Ellen's Stardust Diner, na Broadway. Almoçando. Eles têm as melhores rabanadas.

Rush: Estou indo para aí.

Como eu tinha deixado meu carro no estacionamento para o dia todo, peguei um táxi para o restaurante. O encontro com meu pai e Elliot ainda estava percorrendo minha mente, e eu precisava me acalmar.

Precisava ver Gia.

Sabia que ela iria me fazer sentir melhor, embora fosse frustrante admitir isso a mim mesmo. Não podendo fumar no táxi, baixei o vidro da janela e deixei o ar frio bater no meu rosto.

Pensei em Gia me enganando para eu contar meu nome. Aquela bruxinha conhecia minha fraqueza. Ela sabia que meu ciúme não tinha limite, e sabia exatamente como manipular isso. Era um talento perigoso.

Mas, caramba, funcionou.

Não consegui evitar e dei risada sozinho.

Ela me pegou.

Bem pensado, Gia. Bem pensado.

O taxista estava me olhando pelo espelho retrovisor.

— O que é engraçado? — ele perguntou com um sotaque jamaicano.

Fui pego.

— Nada. Só estou pensando em uma mulher que me deixa meio louco.

Assentindo e compreendendo, ele disse:

— É, senhor. Não são todas assim?

Ele me deixou, e eu entrei no restaurante, que tinha um tema retrô com bancos vermelhos de vinil e luzes neon. Uma das garçonetes, vestida com uma saia rodada dos anos cinquenta, estava em pé em cima de uma das mesas cantando. Provavelmente, era uma aspirante a atriz da Broadway.

Não me surpreendeu nada Gia ter escolhido esse lugar. Era excêntrico, exatamente igual a ela. O que me surpreendeu foi encontrá-la sentada diante de um oficial da polícia de Nova York. Antes de eu poder tirar a conclusão de que ela estava se metendo em encrenca por fazer alguma burrice, percebi que ela parecia estar rindo.

Um policial? Como assim?

Cerrei os punhos. Uma onda de adrenalina me atingiu até me aproximar e perceber quem era somente pela semelhança. Ela havia dito que estava planejando encontrar o pai.

Merda.

É o pai dela.

Me sentia um idiota. Com tudo que aconteceu na Vanderhaus, me distraí e esqueci totalmente de que ela iria encontrá-lo. Definitivamente, não teria vindo aqui se tivesse me lembrado de que ela estaria com o pai.

Era tarde demais para voltar. Ela me viu. E ele também.

Poderia ter me falado, Gia!

Ela estava sorrindo de orelha a orelha e acenou para mim da mesa onde estavam. Gia parecia totalmente confortável naquela situação, o que era o oposto de como eu estava me sentindo no momento.

— Ei! — ela disse.

Colocando as mãos nos bolsos do jeans, assenti uma vez.

— Oi.

— Esse deve ser Rush — seu pai falou.

Ela tinha contado a ele sobre mim?

— É, pai. Esse é o Rush. — Ela se virou para mim. — Rush, este é meu pai, Tony Mirabelli.

Seu pai parecia estar em boa forma para alguém que eu daria uns cinquenta e poucos anos. Ambos tinham os mesmos olhos azuis que contrastavam com o cabelo escuro e a pele morena.

Tirei uma mão do bolso e a estendi.

— É um prazer conhecê-lo, senhor.

Seu aperto de mão foi firme enquanto seus olhos pairaram nas tatuagens no meu braço. Ele indicou a mesa com a cabeça.

— Sente-se. Junte-se a nós.

Olhei para Gia.

— Acho que, talvez, seja melhor eu voltar quando tiver terminado de falar com seu pai. Não quero interromper. Tenho algumas coisas que poderia fazer.

Tony respondeu por ela:

— Imagine. Sente-se. — Seu tom não foi exatamente casual. Foi mais do que um pedido, tipo, *sente nessa porra, seu babaca.*

Eu não sentia mais que conseguiria sair da situação, então reconheci a derrota e me sentei ao lado de Gia. Havia um prato enorme pela metade de rabanadas diante dela. O prato do seu pai estava limpo.

Chegou uma garçonete e colocou um cardápio na minha frente.

— Quer pedir alguma coisa?

Eu não tinha comido o dia inteiro, mas não me sentia à vontade para ficar confortável demais ali, então disse:

— Só café. Preto.

Meus olhos pousaram nos dele. Tony estava me encarando intensamente.

Por algum motivo, o tema de Família Soprano começou a tocar na minha cabeça. Provavelmente, o nome Tony provocou isso. A sequência de abertura em que Tony Soprano dirige pela ponte para Jersey apareceu na minha mente. Era exatamente onde eu queria estar – em cima de uma ponte para Jersey e não encarando esse homem no momento.

Não havia tantas coisas que me deixavam nervoso. Mas sentar diante de um homem que está te olhando como se soubesse que você quer abrir as pernas da filha dele e devorá-la é com certeza uma delas. Principalmente, quando o cara está armado.

Ele uniu as mãos e inclinou a cabeça para o lado. De repente, ficou sério. Na verdade, parecia bravo.

— Minha filha me contou que você deu um soco no olho dela.

Meu coração começou a bater mais rápido. Um longo momento de silêncio se passou conforme fiquei simplesmente sem fala.

Ela o quê?

Como assim?

Então... Gia emitiu um ronco. Tony olhou para ela, e ambos começaram a gargalhar.

Estou sendo trolado?

— Só estou brincando, filho. — Ele secou os olhos. — Foi uma piada.

Ambos eram babacas. Minha pulsação finalmente se acalmou.

Não acredito que caí nessa.

— Ele sabe a verdade do que aconteceu — ela revelou.

Olhei para ele com seriedade.

— Se eu estivesse lá para monitorar as coisas, ela não teria ficado com esse olho roxo. Me desculpe por ela ter se machucado.

Ele simplesmente assentiu.

— Estávamos falando de você logo antes de chegar — Gia disse.

— Deve ser por isso que minhas orelhas estavam quentes.

Tony se virou para mim.

— Soube que você deu um emprego para Gia e que garante que ela vá para casa em segurança à noite. Nunca gostei muito da ideia de ela se mudar para lá sozinha e tão longe de mim, sendo que não tenho escolha a não ser ficar aqui para trabalhar. Mas você conhece Gia. Ela é decidida, não pude impedi-la. Então agradeço de verdade qualquer ajuda que eu possa ter para cuidar dela.

Me sentia uma fraude. Quando se tratava de Gia, meus pensamentos passavam longe de "segurança".

No entanto, levei o crédito.

— Sem problemas. É um prazer.

Ele tirou uma migalha de seu uniforme azul-marinho.

— Eduquei minha filha para ser esperta e independente. Mas há muita coisa que ela sabe fazer para se proteger. Me preocupo com ela, particularmente porque ela se exalta como o pai. Pode estar cuidando da própria vida em um minuto e, no outro, separando uma briga.

— Bom, realmente concordo com o senhor nessa questão. — Dei risada. — Gia é, definitivamente... espirituosa.

Gia deu uma piscadinha para mim. Ela parecia estar gostando dessa interação, enquanto eu ficava olhando para o relógio, querendo ir embora.

A garçonete colocou um copo de água e uma caneca fumegante de café diante de mim. Dei um gole no líquido quente.

Tony estava me observando bem nesse instante e me pegou desprevenido quando soltou:

— Então... dito isso... falando sério, quais são exatamente suas intenções quando se trata da minha filha?

Quase cuspi o café.

Um longo momento de silêncio se passou antes de eles se olharem de novo e caírem na gargalhada. Esses dois estavam conspirando em complô — dois brincalhões.

Tony deu risada e apontou.

— Adorei sua expressão.

— Não se preocupe — Gia disse ao colocar a mão no meu antebraço. — Ele sabe que você não está interessado e que é inofensivo, apesar de parecer bastante perigoso. — Apoiando o ombro no meu, ela continuou: — Certo, Rush? Ele não precisa se preocupar com nada? — Ela piscou para mim.

Engoli em seco.

— Isso mesmo.

É para te comer, minha querida,

Disse o Lobo Mau.

Ela se dirigiu ao pai:

— Rush fala que não podemos namorar, porque ele é meu chefe.

Ele deu um gole na água.

— Bom, acho que é inteligente. Nunca faz mal manter o profissionalismo.

Olhei desafiadoramente para Gia.

— Concordo plenamente.

— Embora seja provável que esteja se enganando — Tony disse. — Vejo o jeito que olha para a minha filha, e não sei se gosto, para ser sincero.

Estreitei os olhos.

Merda.

Ele deve ter sentido a preocupação no meu rosto, quando soltou:

— Cara, você é ingênuo.

Ele estava me zoando de novo. Gia e seu pai, novamente, estavam rindo de mim. Eram farinha do mesmo saco.

— Quer saber a verdade, filho?

Soltei a respiração.

— Claro...

— Fiz o meu melhor para ensinar pelo exemplo em relação à educação da minha filha, mostrar o que é um homem trabalhador, bom e decente. Confio no julgamento dela. Então, se Gia sente que alguém vale seu tempo e confiança, já é o suficiente para mim, independente se for um amigo ou mais do que isso. Com quem ela se associa... bem, não sou mais eu que tomo essa decisão.

Assenti uma vez.

— Certo...

— Além do mais, puxei toda a sua ficha há um tempinho, assim que ela me contou sobre você. E está limpa. — Ele sorriu. — Heathcliff Rushmore. Nome interessante.

Valeu mesmo, Gia.

Cerrando os dentes, eu disse:

— É um nome de família.

— Falando em família... seu pai é Edward Vanderhaus...

Ouvi-lo mencionar esse nome me fez arrepiar.

— Estou sabendo. Ele é meu pai biológico, mas não me criou.

— Eu estava fazendo ronda para um evento particular de Vanderhaus na cidade. Ele é meio babaca. Sem querer ofender.

— Não ofendeu. E, acredite em mim, sei muito bem disso. — Suspirei. — O que ele fez?

— Não foi tanto o que ele fez... só o jeito que falava com as pessoas, sabe? Apenas uma observação minha.

— É. Sei exatamente o que quer dizer.

— Gia estava me contando tudo... sobre sua herança. Não precisa contar detalhes. Mas é uma história muito interessante, no mínimo.

Me virei para ela.

— Falaram de alguma coisa sem ser de mim hoje, Gia?

Ela deu de ombros.

— Desculpe. Mas conto tudo ao meu pai.

— Percebi. — Abri um sorriso discreto para ela não pensar que eu estava realmente bravo. Não dava a mínima para o que seu pai sabia. Eu não tinha nada a esconder.

A garçonete veio encher de novo minha caneca de café e aquecer o de Tony.

Ele bebeu um pouco, depois disse:

— Parece que faz o melhor que pode com tudo que recebeu, filho... As coisas boas e ruins.

— No fundo, ainda sou um cara trabalhador de Long Island. Via o quanto minha mãe se esforçava. Nunca esperei que as coisas fossem dadas a mim. Ainda trabalho duro e não subestimo nada.

— Bom, este pobre garoto do Queens admira isso.

Gia interrompeu:

— Ele vai consertar meu carro também, pai.

— Você sabe mexer com carros?

— Sei. Costumava trabalhar em uma oficina.

Tony pareceu impressionado.

— Está brincando?

— Também já foi tatuador — Gia contou. — Pedi para ele me tatuar, mas ele se recusa.

— Parece que ele sabe que você é meio impulsiva. Boa, Rush.

Quase desejei que o pai de Gia fosse um babaca. Me daria outro bom motivo para ficar longe dela. Ele a tinha criado sozinho e parecia ter feito um trabalho bom pra caramba. Detestava dizer, mas Tony era legal demais, o tipo de homem que eu queria ter tido como pai.

Ele olhou para seu relógio.

— Bom, por mais que esteja adorando ficar com você, querida, o trabalho me chama. Preciso voltar para a delegacia.

Gia fez beicinho.

— Tá bom, papai. Fiquei feliz que conseguimos nos ver. — Ela se levantou e lhe deu um abraço.

Ele estendeu a mão.

— Rush... foi um prazer. Fique longe de problemas. — Ele me deu uma olhada e, por alguma razão, essa pareceu séria.

Fique longe de problemas.

Tradução: Fique longe de Gia.

CAPÍTULO 9

Gia

Rush tinha me perguntado se eu tinha pressa para voltar para os Hamptons. Como era minha noite de folga, falei que não havia motivo para voltar em uma hora específica.

Quando saímos do Ellen's, ele disse que queria comprar algo para comer, o que era estranho, porque tínhamos acabado de passar uma hora em um restaurante.

Ele falou que queria comer no restaurante, mas que seu coração estava pedindo cachorro-quente do Gray's Papaya. Saímos do Gray's com um saco cheio de cachorro-quente.

Rush andava e comia ao mesmo tempo.

— Quando venho à cidade, simplesmente preciso comer um — ele disse, mordendo o cachorro-quente, que estava cheio de pimenta e queijo.

— Um? Você pediu dez!

— Não são todos para mim — Rush disse, com a boca cheia.

— São para quem?

— Uns amigos. Já vai conhecê-los.

Humm. Eu iria conhecer os amigos dele?

Ele ergueu seu cachorro-quente.

— Quer uma mordida?

— Obrigada, estou cheia.

O sol estava baixando na cidade. Era uma tarde linda.

Uns quinze minutos depois, paramos em um beco e, imediatamente, imaginei quem eram seus amigos. Rush tinha levado o saco de cachorros-quentes para alguns mendigos que estavam reunidos no beco com seus pertences guardados em sacos de lixo pretos.

— Ei, pessoal.

Um deles pareceu reconhecê-lo.

— Ei, Rush, cara. Como vai?

— Qual é a boa? — Rush perguntou, entregando o saco inteiro para ele.

— Nada... você sabe... o de sempre.

— Pensei que pudessem estar com fome.

— Famintos. Obrigado — o homem disse. — Quem é sua amiga bonita?

— Esta é Gia.

Acenei.

— Olá.

Então, Rush pegou sua carteira e deu uma nota de cem dólares para o cara.

— Jure que não vai gastar em bebida.

— Pode deixar. Juro.

Rush apontou os dois dedos para seus olhos e, então, de volta para o homem.

— Estou de olho em você, Tommy. Cuide-se, ok?

Conforme nos afastamos, sussurrei:

— Isso foi muito legal da sua parte.

Ele aguardou até não podermos mais ser ouvidos pelos homens para contar:

— Há muito tempo, resolvi que uma boa maneira de limpar a negatividade que sinto em relação à ganância da minha família é equilibrá-la com caridade. Disse a mim mesmo que, toda vez que viesse à cidade para uma reunião obrigatória de negócios, ajudaria alguém de alguma forma antes de ir embora. Me faz sentir bem.

— Isso é bem louvável.

— Não. Tenho os recursos. Nem me faz cócegas. Só seria louvável se fosse um sacrifício. Não é como se eu estivesse dando minha própria camiseta para alguém.

— Discordo. É a intenção que conta, independente do quanto dinheiro você tenha. É um bom homem, Rush. E daria sua própria camiseta a qualquer um se precisasse. Te conheço há pouco tempo, mas não tenho dúvida disso.

Suas orelhas pareceram ficar vermelhas. Eu estava aprendendo que Rush não se sentia confortável com elogios.

Ele parou por um instante.

— Tem algum lugar que queira ir antes de voltarmos?

Começando a me sentir cansada, eu disse:

— Acho que só gostaria de ir para casa. Preciso escrever esta noite.

Começamos a andar de novo e ele perguntou:

— Como está indo, aliás, o livro?

Suspirei.

— Não estou nem... perto de chegar lá.

Sua boca se curvou e ele pareceu tenso.

— O que foi?

— Você falou "chegar lá". Perdi a linha de pensamento por um segundo.

— Esqueci que preciso tomar cuidado com o que falo perto de você. — Ela deu uma piscadinha.

— Mas, sério. Por que acha que está com tanta dificuldade de se concentrar?

— Simplesmente não consigo parar de duvidar. Penso duas vezes em cada palavra e apago o que escrevi na metade das vezes. É horrível.

Rush coçou o queixo.

— Por que não tenta escrever como se ninguém fosse ler? Só ligue o foda-se... e pare de pensar demais. Aposto que, se voltar e ler o que escreveu depois, vai ver que nem ficou tão ruim. Ter algo escrito é melhor do que não ter nada.

Pensei no seu conselho.

— Fingir que ninguém nunca vai ler...

— É. Se perceber que está pensando demais... só continue... se force. Preocupe-se depois. Escreva a primeira coisa que vier à mente e confie no seu instinto. Provavelmente, você é muito mais crítica consigo mesma do que qualquer um. — Ele me cutucou com o ombro. — Enfim, quem se importa com o que as pessoas pensam? Escreva o que gosta... Aposto que as pessoas também vão acabar gostando.

Assentindo, refleti sobre isso.

— Vou tentar adotar essa técnica. — Suas palavras se repetiram na minha mente e me fizeram dizer: — Mas isso é bem irônico vindo de você, não acha?

— Qual parte é irônica?

— "Quem se importa com o que as pessoas pensam?" Isso vindo de um cara que se recusa a namorar uma funcionária por medo do que todo mundo vai pensar?

Ele diminuiu o ritmo da caminhada, parecendo meio bravo comigo por tocar nesse assunto.

— Não é por causa do que as pessoas vão pensar, é mais por causa do princípio da questão. Como dono do negócio, não posso sair com alguém que emprego. É antiético. E perfeito para um processo, e isso é uma dor de cabeça que tenho certeza de que não preciso.

— Mas não tem problema você dormir na minha cama?

Esse comentário pareceu enfurecê-lo ainda mais.

— Tem, sim. Isso foi um erro.

A pergunta que estivera na ponta da minha língua, de alguma forma, saiu sem eu pensar.

— E se eu arranjasse outro emprego? Mudaria as coisas?

Ele pareceu ter dificuldade de responder. Me preparei porque sabia que a resposta mudaria toda a situação. Comprovaria seus verdadeiros sentimentos de uma vez por todas.

Rush pegou um cigarro no bolso e o acendeu. Parecia que ele estava se esforçando conscientemente para não fumar até eu provocá-lo nesse momento.

Seus olhos pareciam quase doloridos quando ele disse:

— Gosto da sua companhia. Mas não sou o certo para você, Gia.

— Então a questão de ser chefe é só uma desculpa? Não é o verdadeiro motivo pelo qual não fica comigo.

— Não é o único motivo, não. O motivo sou eu... não você.

Revirei os olhos.

— Não é você. Sou eu. Que frase original! Acho que vou colocá-la no meu livro horrível.

Meu pequeno interrogatório deve ter deixado Rush mais bravo do que percebi, porque ele ficou quieto o restante da caminhada até o estacionamento.

Quando chegamos no carro e pegamos a estrada, o tratamento silencioso continuou conforme ele seguiu apenas fumando o tempo inteiro.

Estava brava comigo mesma por tocar no assunto do nosso relacionamento. Ele tinha deixado claras suas intenções, e eu tinha que aceitar. Mas ainda havia o fato de que eu não sabia se acreditava totalmente que ele não queria alguma coisa comigo. Claramente, era atraído por mim e sentia que precisava me proteger. Será que estava com medo? Ou simplesmente não tinha interesse? Não importava. Assim que ele jogou a velha "não é você, sou eu", desisti.

Não conseguia mais suportar o silêncio, então fui a primeira a falar.

— Você falou que iríamos jogar felizmente-infelizmente na volta.

— É, bom, não estou a fim agora.

Ignorando-o, eu disse:

— Ok... eu começo. Felizmente, um de nós não fica bravo por muito tempo e sabe quebrar o gelo.

Ele me olhou de lado e me surpreendeu quando começou a jogar.

— Infelizmente, Gia resolveu quebrar o gelo me lembrando desse jogo idiota. — Ele balançou a cabeça e soprou fumaça pela janela.

— Felizmente, Gia não é sensível, do contrário, iria ficar chateada por chamar seu jogo de *idiota*.

— Infelizmente, acho que Gia é sensível e leva certas coisas para o lado pessoal quando não deveria.

— Felizmente, Gia não precisa que repitam para ela, então nunca mais precisa se preocupar quanto à sua curiosidade em relação ao status do nosso relacionamento.

Ele acendeu outro cigarro antes de dizer:

— Infelizmente, acho que é melhor assim.

— Felizmente, agora entendi que somos, realmente, apenas amigos.

Sua expressão se fechou. Alguns segundos se passaram e ele falou.

— Infelizmente, preciso me desculpar por meus atos que a levaram a acreditar no contrário.

— Felizmente, para você, eu te perdoo.

— Infelizmente, significa que também não posso mais dormir na sua cama.

Admirei seu pedido de desculpas, mas isso não me impedia de querer provocá-lo.

— Felizmente, agora que esclareceu seus sentimentos, me deixou livre para aceitar o encontro que estive protelando com Rhys, o bartender do terraço.

CAPÍTULO 10

Rush

— Leve os barris para o bar do terraço — gritei para a sombra de um homem passando pelo meu escritório. O corredor estava escuro, mas eu sabia exatamente quem era. O babaca estava no meu radar desde que Gia jogou a bomba no carro na volta para casa.

— Eu? — Rhys deu um passo para trás e apareceu na porta do escritório. Não me dei ao trabalho de erguer a cabeça da papelada em que estava trabalhando.

— Com quem mais eu estaria falando? Tem mais alguém por aqui? — Ainda não olhei para cima.

— Humm. Geralmente, é Oak que os carrega para cima. Aquelas coisas pesam uns setenta quilos.

Claro que eu sabia exatamente quanto pesavam, e tinha praticamente certeza de que eram mais pesados do que sua bunda magra. Olhei para cima, meus olhos raivosos cheios de desprezo.

— Está dizendo que é incapaz de fazer seu trabalho?

— Ãh... não. Não. Vou... vou levá-los lá para cima. — Ele continuou ali parado, me olhando.

— Está esperando alguma coisa? — perguntei grosseiramente. — Vá trabalhar.

— Humm. Claro. Certo. Sim, chefe. — Embora ele tenha dito isso, quando me viu levantar e ir em direção à porta, o babaca ficou congelado no lugar.

Por um segundo, quando ele arregalou os olhos, e eu pensei que ele fosse cagar na calça, quase me senti mal. Quase. Mas esse pensamento se esvaiu quando bati a porta na cara do babaca.

Nos três últimos dias, eu tinha conseguido evitar Gia. Estivera planejando a reforma de uma das minhas propriedades alugadas, e a permissão municipal finalmente saiu. Enquanto a equipe de demolição destruía a cozinha antiga e o deque dos fundos, passei a maioria dos dias me reunindo com subempreiteiros para obter orçamentos para a reforma. Apesar de poder pagar o custo extra de contratar um empreiteiro geral para fazer essas merdas, eu gostava de administrar meus próprios projetos de construção. E só Deus sabe como eu precisava dessa distração para não passar todo o meu tempo cuidando de Gia no restaurante.

Meu celular tocou, e o primeiro sorriso genuíno que não dava há dias apareceu no meu rosto. Me recostei na cadeira enquanto atendi.

— Ora, ora, se não é a aniversariante. Dormiu até tarde? Te liguei há duas horas.

— Na verdade, saí para comprar os suprimentos — minha mãe disse. — O celular tocou enquanto eu estava dirigindo, e não sei atender daquele jeito sem pegar no celular. Vai ter que me ensinar a fazer isso neste fim de semana.

— Tá bom.

— Comprei umas tintas acrílicas novas e uma tela extra. Estou torcendo para o pôr do sol ser tão lindo como no ano passado aí.

— A previsão é de que o dia será bonito. Quando virá?

— Esta tarde, se você não se importar. Sei que, geralmente, vou na sexta, mas preciso voltar sexta para ajudar no churrasco de verão que vão oferecer na igreja.

— Claro. Como quiser. É bem-vinda a qualquer hora. Sabe disso. Pode ir entrando quando chegar, que vou tentar sair do restaurante e chegar em casa cedo. Vou levar daqui um bom jantar de aniversário.

— Na verdade... estava pensando em ir ao restaurante para pintar o pôr do sol desta noite, se não for interromper seu trabalho nem nada. Não vou ocupar muito espaço, só uma cadeira no canto do bar do terraço. Nem preciso levar meu cavalete.

— Traga o que quiser. Vou fechar a porra do lugar se outras pessoas por perto a distraírem.

— Heathcliff... olha a boca.

Fui transportado de volta aos dez anos.

— Desculpe. Vou tentar não falar palavrão. Mas pode esquecer o Heathcliff no meu ambiente de trabalho. Ninguém sabe que meu nome é outra coisa, e não Rush. Sou tipo a Madonna... só que com um pa... Esqueça, só me chame de Rush no trabalho, por favor, mãe.

— Ok, querido. Te vejo em algumas horas.

Eram quase cinco horas quando saí do escritório. Detestava ficar sentado atrás de uma mesa o dia todo, o que era o principal motivo de levar uma tarde inteira para atualizar toda a papelada que estivera evitando. O pessoal da cozinha havia chegado e estava se preparando para começar a correria do jantar quando entrei e interrompi.

— Preciso de uma coisa que não está no cardápio desta noite, provavelmente para umas sete horas.

— Claro, Rush. Do que precisa? — Fred, o chef, perguntou. Ele tinha sido minha primeira contratação quando assumi o lugar há cinco anos.

— Salmão Oscar. Exatamente do jeito que você fazia no McCormick and Schmick's.

Ele apontou um pegador que estava na sua mão para mim e sorriu.

— Pode deixar. O que estiver a fim.

— Na verdade, não é para mim. Mas obrigado. Provavelmente, vou pedir só um hambúrguer para comer mais tarde.

— Tem um encontro?

— É aniversário da minha mãe. Ela vai chegar daqui a pouco.

Fred deu uma piscadinha.

— Então vou fazer melhor do que fazia quando trabalhava no McCormick and Schmick's.

Pensei em subir para separar uma área para minha mãe pintar antes de ela chegar. Quintas-feiras eram lotadas, mas, geralmente, só depois da correria do jantar acabar. Até lá, o pôr do sol já teria terminado há um tempo, e ela não era uma pessoa da noite, de qualquer forma.

Subindo as escadas de dois em dois degraus de uma vez com uma cadeira almofadada na mão, cheguei ao terraço e congelei. Ainda não estávamos abertos, mas meus funcionários estavam ocupados arrumando as mesas e estocando o bar de fora. Todos em volta se preparavam, exceto meu bartender. *Rhys*. Em vez de trabalhar, ele estava com os antebraços apoiados no bar enquanto dava em cima de uma mulher. E não simplesmente qualquer mulher. O babaca sorridente estava ali parado dando em cima da *minha garota*.

A fúria percorreu minhas veias enquanto fiquei ali parado, olhando. Rhys falou alguma coisa que não consegui ouvir, e Gia jogou a cabeça para trás, dando risada. *Porra*. Ela ficava tão linda quando sorria.

Como se sentisse que eu a estava observando, a cabeça de Gia se virou e nossos olhares se cruzaram. Ela endireitou as costas e arrebitou o queixo, quase me desafiando a fazer alguma coisa sobre o que quer que tinha visto ao sair ali.

Ela nem trabalha esta noite. Que porra está fazendo aqui?

Precisei de toda a minha força de vontade para não ir até lá e dar um soco na cara do desmiolado com quem ela estava conversando. Porém, de alguma forma, consegui me controlar. Respirando fundo, não dei bola para ela. Em vez disso, fui cuidar da minha vida. Puxei uma mesa até o canto que tinha a melhor vista do pôr do sol, adicionei uma plaquinha de *reservado* e, então, coloquei uma cadeira confortável para minha mãe ter um lugar para pintar.

Quando terminei, berrei para o bartender que agora era meu inimigo número um:

— Aqui está reservado para hoje à noite. Se alguém sentar aqui ou pegar essa cadeira, você está demitido.

Não esperei uma resposta.

De volta no andar inferior, coloquei minha raiva em ação, gritando para meus funcionários trabalharem. Eles olharam para mim como se eu fosse uma bomba-relógio e, apesar da quantidade insana de raiva que eu sentia no peito, não sabia muito bem se eles estavam tão errados.

Precisando me acalmar, marchei em direção ao bar, me servi uma dose de uísque e bebi de uma vez, depois saí para fumar. A fumaça amenizou o fogo na minha garganta, quando deveria ter alimentado a chama.

Senti seu cheiro antes de ouvir sua voz. Perdido em minha mente, nem tinha reparado que Gia abriu e fechou a porta atrás de mim.

— Ei. Aí está você. Está tudo bem?

— Sim — respondi e traguei de novo profundamente até a ponta do cigarro ficar de um tom brilhante de laranja.

— Não estava tentando impedir que Rhys trabalhasse, se foi isso que te irritou. Levei algumas garrafas de rum para cima, sabendo que há uma bebida especial no cardápio com rum esta noite.

— Por que está aqui? — respondi com um tom mais amargo do que pretendia.

— Vou trabalhar esta noite. Acho que Carla não te contou. Trocamos a noite de hoje por sábado porque ela tem uma coisa para fazer.

Meu rosto ficou pálido.

— Não. Ela não me contou. Por que alguém iria me contar alguma coisa por aqui? Só sou dono do maldito lugar.

— Você está de mau humor. Quer conversar sobre isso?

— Não, Gia. *Não quero conversar sobre isso.* Só quero que todos os meus funcionários cuidem da própria vida e fiquem fora da minha. Será que isso é tão difícil de fazer?

Ela piscou algumas vezes. Pela sua cara, parecia que eu tinha batido nela.

— Não. Não é tão difícil de fazer isso, *chefe*. Me perdoe se passei dos limites e me importei porque parecia que você estava chateado. — Ela se virou para sair e parou ao abrir a porta. — Não vai acontecer de novo.

Minha mãe chegou às seis da tarde. Eu estava conversando com um DJ que foi lá para falar sobre a festa de Quatro de Julho, quando a vi pelo canto do olho. Ela sorriu ao me ver, e foi a primeira vez que senti meus ombros se soltarem o suficiente para respirar confortavelmente hoje.

— Oi, mãe. — Eu a peguei e lhe dei um abração. Minha mãe era pequenininha. Ela gostava de brincar que eu quase a tinha matado quando nasci com meus quatro quilos e meio. O tamanho era a única coisa que, claramente, eu tinha herdado do meu pai, e que eu não odiava.

— Feliz aniversário de cinquenta e dois anos.

Ela sorriu.

— Shhh. Tenho trinta e oito este ano.

Com toda sinceridade, ninguém piscaria duas vezes se ela dissesse que tinha trinta e oito anos. Melody Rushmore se mantinha em boa forma com yoga diariamente e um tipo de meditação transcendental que sempre tentava me convencer a fazer. Olhando-a, as pessoas nunca saberiam que ela teve uma vida difícil. Caçula de quatro filhos criados na área rural do Canadá por um pai abusivo e uma mãe alcoólatra, ela se mudou para Nova York com apenas dezoito anos. Conheceu o imbecil do meu pai aos vinte e dois e caiu na lábia dele. Dezoito meses depois, quando ela estava grávida de dois meses de mim, sua face verdadeira apareceu quando ele exigiu que ela abortasse. Antes disso, ela nem fazia ideia de que ele era casado. Definitivamente, nem imaginava que a esposa dele tivera um filho apenas seis meses antes. Já que meu velho pai não iria arcar com as responsabilidades sem um teste de paternidade, minha mãe precisou parar de trabalhar em seu trabalho dos sonhos na galeria de arte e encontrou um emprego que fornecia plano de saúde. Ela havia desistido de muita coisa por mim, mesmo antes de eu nascer.

— Seu cavalete está no carro?

— Está. Mas não preciso dele. Posso simplesmente colocar uma tela no colo.

— Não seja ridícula. Deixe-me pegar alguma coisa para você beber e, então, vou pegar suas coisas no carro.

Levei minha mãe ao bar. Meus olhos treinados estavam no salão de jantar anexo em que um bosta em um terno barato estava olhando para a bunda de Gia enquanto ela o acompanhava até a mesa. *O maldito universo está testando minha paciência esta noite.*

Distraído, servia uma taça de vinho para minha mãe e quase derramei de tanto encher.

— Deixe-me pegar suas chaves. Já volto.

O Terno Barato ainda estava assediando Gia com os olhos. A caminho do carro da minha mãe, fui até a cadeira em que ele ainda não havia colocado a bunda.

— Está tudo bem aqui? — Minha expressão dizia que eu não dava a mínima se não estivesse.

As sobrancelhas de Gia se uniram.

— Tudo. Precisa de alguma coisa?

Olhei desafiadoramente para o Terno Barato.

— Só que seus clientes se sentem para você poder voltar ao trabalho.

Gia olhou desafiadoramente para mim.

— Obrigada. Se precisarmos de qualquer ajuda, eu te aviso.

Saí bravo para o carro. Na porta, Oak me lançou um sorriso sábio que dizia que havia acabado de ver a interação que tive com minha funcionária. Apontei um dedo para ele.

— Não fale merda nenhuma. — Então abri a porta da frente do restaurante.

O cascalho debaixo dos meus pés se esmagava como se estivesse tão bravo quanto eu enquanto eu andava pelo estacionamento para encontrar o carro da minha mãe. Pegando suas tintas, as telas, o cavalete e os pincéis, fechei o porta-malas de seu Kia e me apoiei no carro com os olhos fechados.

O som de passos amassando o cascalho interrompeu minha tentativa de me acalmar. Gia estava vindo na minha direção de novo e parecia tão brava quanto eu.

Olhei para o céu e resmunguei:

— De novo, não.

Ela colocou suas mãos minúsculas na cintura.

— Isso é uma merda.

— Você saindo do restaurante quando deveria estar lá dentro trabalhando? Concordo plenamente.

Ela estreitou os olhos para mim.

— Você sabe do que estou falando.

Deixei de me apoiar no carro e dei um passo à frente.

— Não estou no clima para sua psicanálise de merda, Gia. Volte lá para dentro e vá trabalhar.

— Pensei que você fosse diferente de todos os outros babacas dos Hamptons. Mas a verdade é que só veste uma armadura diferente por fora. Por dentro, é o mesmo idiota narcisista e egoísta que todos são.

— *Eu* sou egoísta? Porque quero que faça seu trabalho e não fique esfregando os peitos na cara dos meus funcionários e clientes?

Se eu tinha pensado que ela estava brava antes, sua expressão se transformou em outro nível de raiva. Seus lábios formaram uma careta, sua testa ficou enrugada e a cor do seu rosto mudou para um tom lindo de vermelho. Naquele instante, ficou claro que eu estava perdendo a porra da cabeça, porque, apesar de estar puto da vida e querendo atacar todo mundo desde que vi aquele bartender magrelo passar pelo meu escritório mais cedo, de repente, a raiva de Gia mudou meu humor.

Aposto que transar com ela brava seria ótimo.

Ela ficou parada diante de mim praticamente soltando fumaça pela boca, e tudo que eu enxergava era eu segurando seu cabelo, puxando forte conforme a pegava por trás, batendo na bunda dela repetidamente.

Caralho.

— Você é egomaníaco. Não me quer, mas também não quer que eu dê atenção para mais ninguém.

Encarei-a, suas palavras meio falhas conforme tinha mais visões: pulsos amarrados à cabeceira da cama enquanto ela se contorcia sob minha língua. Eu chupando sua boceta até ela estar à beira do abismo, prestes a cair, então eu ergueria suas pernas no ar e as colocaria nos meus ombros. Espalhando a umidade do clitóris até a fenda, lubrificaria sua bundinha virgem e apertada. E, então, enfiaria o dedo nela até ela implorar de novo.

"Blá. Blá. Blá." Pelo menos foi isso que ouvi. A voz de Gia estava soando de novo, mas eu não conseguia identificar nenhuma palavra, mesmo que tentasse.

— Está me ouvindo? — ela perguntou, brava.

Nem uma única palavra. Mas se vire, abaixe-se no capô do carro da minha mãe, que vou ouvir cada grito que vou tirar de você.

Deus, estava torcendo muito para nunca terem encostado na bunda dela.

Será que ela ia me bater se eu perguntasse agora? Dou a mínima se ela fizer isso?

— Qual é o seu problema? — Ela continuou me encarando como se eu tivesse duas cabeças.

Um sorriso sombrio puxou para cima os cantos da minha boca.

— Posso te fazer uma pergunta pessoal?

— *O quê?* — Ela estava sem paciência.

Meus olhos baixaram para seu peito arfando de forma pesada, seus mamilos salientes de raiva. Deus, ela era sexy quando estava nervosa. Perguntar o status do seu cu, com certeza, pioraria isso...

Dei um passo à frente e me inclinei para baixo para que nossos rostos estivessem no mesmo nível. Ela ficou parada, engolindo em seco.

— Alguém já entrou pela porta dos fundos, Gia?

Sua expressão raivosa mudou para confusa.

— O quê? Saí pela porta da frente. Não acabou de me ver saindo?

— Estava falando da sua bunda, Gia.

Ela precisou de um minuto para entender que porra eu queria dizer. Mas eu soube o minuto em que entendeu. Uma tempestade atacou o mar azul calmo de seus olhos, transformando-o em águas turbulentas. Ela deu um passo para trás, e pensei que fosse se virar para ir embora. Aí percebi que ela só estava se preparando para me dar um tapão na cara.

CAPÍTULO 11

Gia

O cara tinha colhões.

Gigantes. Do tipo que eu não erraria se meu pé tentasse dar um chute rápido. O que, definitivamente, não estava descartado.

Acomodei um casal mais velho em uma mesa e observei, de longe, o babaca flertar com uma mulher no bar. Ele ficara ali parado desde que voltou para dentro com a marca da minha mão estampada em seu rosto. Obviamente, a pontada no meu coração doía mais do que o que minha mão tinha feito, já que ele já estava rindo, flertando e curtindo, enquanto eu continuava a remoer.

A mulher se levantou, e a mão de Rush foi para suas costas. Havia uma familiaridade em seu toque e na interação deles. Provavelmente, era uma de suas transas de verão. Ele a guiou para as escadas que levavam ao terraço enquanto eu olhava de longe, sem acreditar.

Definitivamente, ela era mais velha do que ele. Eu chutaria quase quarenta ou quarenta e poucos anos. Diferente da outra mulher que eu tinha visto babando nele pelo bar, essa não estava vestida como prostituta. Estava de calça jeans, dobrada no tornozelo, e uma camiseta larga que quase chegava aos joelhos. E chinelos com uma grande margarida em cada pé, em vez do salto fino que suas transas casuais sempre pareciam usar.

Está me zoando?

Ele teve a audácia de falar comigo daquele jeito lá fora, e agora apenas seguia em frente, normalmente, para uma transa com uma papa-anjo bem debaixo do meu nariz?

Não.

Só que não.

Passando pelos clientes, fui até as escadas. Subi correndo e pude sentir minha pulsação acelerada.

Parei ao avistar Rush puxando uma cadeira para sua amiga e se sentando à frente dela. Eles pareciam bem confortáveis juntos, e ele estava — ouso dizer — sorrindo igual um bobo.

Meu sangue estava fervendo. Observei atentamente quando ele foi até o bar e pediu uma taça de vinho para ela, levando-a até a mesa.

Minha respiração estava irregular conforme continuei parada na entrada, observando de longe — até me descontrolar.

Marchando brava até a mesa, bufei:

— Está me zoando agora?

Rush levantou de repente e ergueu as mãos em uma aparente tentativa de impedir minha explosão.

— Gia... est...

— Não! — Me recusei a recuar. — Desculpe. Não vou ficar quieta.

— Gia! — ele gritou mais alto.

O bar estava cheio, e pareceu que ninguém estava prestando atenção nessa briga além da ficante de Rush, cujos olhos estavam fixos em mim.

Ignorando o pedido dele, me aproximei do seu rosto.

— Que tipo de jogo está fazendo? Em um segundo, você está lá fora me perguntando se já me foderam por trás e, no segundo seguinte, está aqui em cima servindo e flertando com uma mulher? Qual é o seu problema?

A ficante dele se encolheu.

Rush cerrou os dentes.

— Pare!

— Não, não vo...

Ele me ergueu do chão. Quando vi, estava, literalmente, sendo carregada para fora da área do bar.

Chutando-o, gritei:

— O que pensa que está fazendo?

Ele não me respondeu e continuou andando pelo corredor ao lado da escada e me colocou no chão antes de me encostar na parede.

Seus olhos estavam travados nos meus, mas ele não falou nada enquanto clientes passaram por nós para ir para a área do terraço.

Com o ciúme ainda vazando, arfei.

— Quem era aquela mulher?

Ele me encarou por muitos segundos e, finalmente, revelou:

— Não é uma *mulher*. É minha mãe!

De repente, uma enxurrada de sangue percorreu minhas veias.

Não.

Isso não pode estar acontecendo.

— Sua... — Pigarreei. — Está mentindo. Aquela não é... ela... eu pensei... oh... não... não. — Segurei a cabeça. — Acabei de falar aquilo... na frente da sua mãe?

— Sim. — Ele assentiu. — Falou, sim.

Entrei em pânico.

— Ah, Deus. Rush, desculpe de verdade. Não sabia.

Parecia que Rush estava prestes a explodir.

— Volte ao trabalho — exigiu. — E fique longe da porra do terraço.

— Rush...

Bravo, ele começou a se afastar, me deixando no corredor. Virou-se e, quando viu que eu não tinha me mexido, gritou mais alto:

— Vá!

Não sabia há quanto tempo estava encarando o nada quando Oak me interrompeu:

— Você está bem, Gia? Está pálida.

Estava quase na hora de fechar. Rush não tinha descido desde que fui uma bundona – sem querer fazer o trocadilho – em frente à sua mãe. Embora eu só quisesse ir para casa, de alguma forma, tinha conseguido sobreviver ao resto do meu turno.

Me virando para ele, tive vontade de chorar.

— Estraguei tudo, Oak... de um jeito fenomenal.

Oak puxou uma cadeira para onde eu estava parada.

— Quer me contar o que aconteceu?

— Realmente não sei o que dizer.

— Deixe-me adivinhar. Tem algo a ver com o chefe?

Revirando os olhos, eu disse:

— Como sabia?

— Mero palpite. — Ele suspirou. — Nem sei o que aconteceu, mas imagino que envolva Rush explodindo por causa de alguma coisa?

— Oh, ele explodiu mesmo.

Oak parecia quase estar se divertindo com o meu problema e começou a me contar uma história.

— Então... minha filha... Jazzy... está no quinto ano, sabe? Fui chamado na escola dia desses porque tem um garoto que a está incomodando... zombando dela, puxando seu cabelo... essas coisas.

— É?

— A mãe do garoto também compareceu a essa reunião. Sabe o que ela me contou? Que o garoto só fala sobre Jazzy em casa. Parece que ele tem uma queda por ela, mas tem um jeito engraçado de demonstrar.

— Aonde está querendo chegar, Oak?

Ele ergueu uma sobrancelha.

— Acho que consegue tirar suas próprias conclusões.

Sentindo o rubor, eu disse:

— Bom, esta noite não teve nada a ver com os sentimentos de Rush ou com a falta deles em relação a mim. Hoje, foi cem por cento culpa minha. — Suspirando, resolvi contar a ele o que aconteceu. — Presumi que a mãe de Rush fosse o encontro dele mais cedo, então o confrontei com raiva lá em cima e falei uma coisa bem ruim na frente dela. Nunca vou poder voltar atrás, e tenho praticamente certeza de que ele quer me matar agora.

— Ai. Ok. Uau. Bom... primeiro de tudo, desconfio que o chefe queira fazer muitas coisas quando se trata de você, Gia, mas assassinato não é uma delas. — Ele deu risada. — Enfim, o quanto poderia ser ruim? O que você falou que foi tão horrível?

Balancei a cabeça.

— Nem consigo repetir. Ironicamente, estava parafraseando algo que ele disse para mim em particular. Quero vomitar.

— Bem, vamos voltar um pouco. A boa notícia é que... Melody é bastante pé no chão. Provavelmente, ela deu risada. Não me parece ser puritana. Tenho certeza de que Rush já explicou a situação para ela a essa hora.

— Que situação? Que tem uma maluca trabalhando para ele que grita coisas sexualmente explícitas no meio de um bar lotado... na frente da *mãe* dele?

— *Sexualmente* explícitas? Poxa. Deve ser difícil ser você.

— É. *Poxa*. É mesmo.

— Estou brincando. — Ele deu risada.

Suspirando, falei:

— Sério, nem sei o que diria se ela estivesse parada na minha frente.

Os olhos dele apontaram para atrás dos meus ombros.

— Bem... chegou sua chance de descobrir.

O quê?

Devagar, me virei e vi a mãe de Rush parada ali.

Meu coração caiu.

— Oh... olá, sra... *srta*. Rushmore.

— Por favor, me chame de Melody, Gia.

Ela sabia meu nome. Mas também Rush deve tê-lo berrado em uma tentativa frustrada de me impedir que eu me fizesse de boba.

Deus, ela era muito bonita. Seu cabelo castanho-claro, na altura dos ombros, tinha a ponta mais loira, como em um ombré. Seus olhos azuis brilhavam. Ela meio que lembrava uma jovem Goldie Hawn. E era baixinha – como eu. Era estranho pensar que dessa mulherzinha saiu um cara grande como Rush.

— Olá. — Sorri de um jeito estranho.

Oak pareceu se divertir.

— É bom te ver, srta. Melody. Está linda esta noite, como sempre.

Ela acenou.

— Oi, Oak.

Ele se levantou, como se estivesse se preparando para sair. Isso não era bom, porque ele era a única proteção que eu tinha.

Por favor, não saia.

Então, Oak se foi, me deixando sozinha com a mãe de Rush.

Ela foi a primeira a falar após um breve momento de silêncio.

— Meu filho me proibiu de vir me apresentar a você, mas, infelizmente para ele, ele não manda em mim.

Seu sorriso, definitivamente, me acalmou.

— Fico muito feliz de ter vindo falar comigo. Não tive coragem de fazer a mesma coisa porque me sinto horrível, tipo envergonhada *mesmo* pelo que falei para ele lá em cima na sua frente. Foi muita falta de respeito e, normalmente, não falo daquele jeito. Eu não fazia ideia de que você era a mãe dele. Para ser bem sincera... parece bem mais jovem. Presumi que fosse uma ficante dele e estava... com ciúme.

— Bom, o lisonjeio vai te levar a qualquer lugar. — Ela sorriu. — Entendi que você estava chateada. Sem problemas. Todos nós dizemos e fazemos coisas no calor do momento.

Ela sorriu de novo e eu sorri de volta.

— Enfim, não tenho como me desculpar o suficiente por minhas palavras. Desculpe por fazer aquela cena.

— Agradeço suas desculpas, mas está tudo bem mesmo.

Olhei em volta.

— Onde Rush está?

— Ele ficou resolvendo umas coisas... algo sobre uma entrega de bebida que era para ter sido feita antes de amanhã, mas ainda não chegou. Aproveitei... e vim falar com você. Espero que não se importe.

— Não, imagine.

— Estou atrapalhando seu trabalho? — ela perguntou.

— Não, meu turno acabou de acabar, na verdade. Está na hora de fechar.

— Meu filho me explicou tudo, que você não sabia quem eu era e que ele, na verdade, provocou sua explosão mais cedo. Acho que eu que deveria me desculpar pelo comportamento *dele* com você.

Fiquei surpresa por Rush ter assumido toda a culpa e por ter sido tão aberto com a mãe. Ainda assim, eu que tinha feito a cena. Tomei a decisão de usar palavras de baixo calão na frente dela.

— Eu assumo total responsabilidade pelo que disse. Não uso aquelas palavras no dia a dia, principalmente em um local público, e principalmente no meu trabalho. Às vezes, as coisas ficam agitadas entre mim e ele. Seu filho... bom... ele está me deixando meio maluca.

Melody assentiu, compreendendo.

— Não tenho inveja de você nessa parte. Não é fácil lidar com esse meu Heathcliff. — Ela fechou os olhos brevemente, então cobriu a boca, rindo. — Quero dizer, *Rush*. Desculpe. Velhos hábitos. Ele me mataria se soubesse que acabei de deixar isso escapar.

— Tudo bem... Eu sei que o nome verdadeiro dele é Heathcliff.

Ela pareceu chocada.

— Ele te contou?

— É, consegui tirar dele.

— Que bom para você.

Após alguns segundos de silêncio bizarro, falei:

— Então... estou sem sorte, não é?

Ela inclinou a cabeça para o lado.

— O que quer dizer?

— No departamento de romance. Seu filho é uma causa perdida?

— Não falei isso. Quando digo que ele é difícil... Só quero dizer que não é fácil de interpretá-lo. Nem sempre ele é fácil de se abrir. Meu filho tem um coração grande. Mas não é algo que as pessoas descobrem com facilidade. Ele é complicado, e demora um pouco para conseguir fazer com que se abra.

— Realmente estou aprendendo isso.

— Rush aprendeu muitas coisas de um jeito difícil. Foi magoado por pessoas que deveriam amá-lo. Embora aja como se não se importasse com isso, com certeza influenciou na forma como ele vive, com a guarda constantemente alta.

Franzi o cenho.

— É, eu sei sobre o pai dele.

Ela ficou analisando meu rosto.

— Ele gosta de você.

Meu coração acelerou.

— Ele disse isso?

— Não, não em tantas palavras. Mas pareceu bem preocupado que eu pensasse de forma negativa sobre você. Não é do feitio dele conversar comigo sobre mulheres de quem é amigo. Sua vida pessoal é algo que ele sempre manteve para si mesmo. Porém, me contou um pouco sobre você durante o jantar... me contou que você é escritora.

— Contou?

— Sim.

Isso me lembrou...

— Falando nisso... — eu disse. — Na verdade, quero te agradecer. Um dia, Rush me contou que, quando você ficava travada no seu processo de pintura, às vezes ia ao cinema para fazer uma pausa. Tentei isso uma vez e funcionou. Depois disso, tive um dos melhores dias de escrita em muito tempo.

— Oh, que maravilha. Sim, essa, com certeza, é uma das minhas estratégias. Fico feliz que também tenha dado certo para você.

— Você o visita com frequência no The Heights? Nunca a tinha visto aqui... obviamente.

— Venho para cá uma ou duas vezes por mês. — Melody era delicada e falava baixo, bem diferente de seu filho. — Queria capturar o pôr do sol sobre o oceano na tela esta noite.

— Você pintou aqui esta noite?

— Sim. Rush arrumou meu cavalete lá em cima no terraço mais cedo.

— Que fantástico! Posso ver o que você fez?

Ela pareceu animada por eu ter perguntado.

— Claro.

Olhei em volta, nervosa, procurando Rush enquanto a seguia para o terraço. Ela me levou até uma tela que estava apoiada em uma parede no canto e a segurou para me mostrar.

— Não está exatamente perfeito, mas estou feliz com como saiu.

Com tons de laranja, roxo e amarelo, ela tinha capturado lindamente as cores esplêndidas do pôr do sol na praia. Esfumados de tinta retratavam com precisão as nuvens no céu. Não conseguia entender como ela tinha tornado o oceano tão realista com uma mistura de tons verdes, azuis e brancos. De alguma forma, parecia que a água estava se mexendo pela tela, chegando na areia. Minha parte preferida de toda a pintura era uma única e detalhada concha com listras brancas e marrons. Estava simplesmente sobre a areia, a qual ela pintou meticulosamente com matizes bege. Embora a concha fosse pequena, parecia ser o foco e todo o resto servia como pano de fundo.

— É tão lindo. Estou admirada de verdade por você ter a capacidade de sentar e casualmente pintar algo tão incrível do nada. Quanto tempo demorou?

Ela colocou a pintura no chão, apoiando-a na perna da mesa.

— Mais ou menos uma hora e meia. Mas, sabe, nem sempre é tão fácil para mim. Talvez passe por isso com sua escrita, mas alguns dias simplesmente fluem, certo? Dá para sentir a criatividade correndo nas veias, e você só precisa parar tudo e aproveitar enquanto está ali. Foi por isso que eu precisava vir para a praia esta noite. — Seus olhos estavam cheios de paixão enquanto ela falava sobre sua arte.

Essa mulher é incrível.

— Entendo *demais* o que está dizendo, Melody — eu disse. — De vez em quando, eu me sentia assim quando tive a ideia para esse livro que estou escrevendo. Os três primeiros capítulos simplesmente se derramaram de mim, de forma bem orgânica. E, então, quando comecei a me pressionar depois de ter conseguido o contrato com a editora, não saiu mais nada.

— Rush contou que você escreve romance.

Mais uma vez, fiquei surpresa por ele ter entrado em tantos detalhes com ela.

— É. Contemporâneo. Bom, é, se conseguir continuar escrevendo.

— Nada como a pressão para atrapalhar a criatividade. Me identifico. Já ganhei comissões por algumas pinturas minhas. Definitivamente, há uma diferença entre criar algo por sua própria vontade *versus* por obrigação.

— Exatamente.

— Vai encontrar seu caminho... sua inspiração, Gia. Vai acontecer.

Posso guardá-la para mim?

— Obrigada. Espero que sim.

Ficamos ali apenas nos encarando por um instante. Poderia até dizer que ela também tinha gostado de mim. Eu não estava pronta para me despedir. Fiquei fascinada por Melody Rushmore.

As palavras simplesmente saíram de mim.

— Eu adoraria ver mais quadros seus alguma hora. — Torci para não ser muito intrometida conforme aguardei sua resposta.

— Bom, é bem-vinda para ir à minha casa quando quiser. Tenho um estúdio lá cheio de arte.

— Sinceramente? Adoraria ver.

Rush chegou por trás de mim.

— O que é isso agora?

Ele fedia a cigarro. Minha pulsação acelerou. Não conseguia medir sua reação à minha conversa com sua mãe. Mas fingi que estava tranquila.

— Você vai me levar para ver o estúdio da sua mãe. Quero ver os quadros dela... todos eles.

Ele ergueu a sobrancelha como se em desafio.

— É mesmo?

Cruzei os braços.

— É.

— Se eu soubesse que vocês duas estavam confabulando, teria ido embora — ele disse.

A mãe estava sorrindo para ele.

— Gia e eu temos muito em comum.

— É, vocês duas são um pé no meu saco — ele zombou, dando uma piscadinha para Melody.

Ela deveria estar acostumada com o sarcasmo dele porque não reagiu à sua declaração. Fiquei aliviada por ele não parecer mais estar bravo.

— Vai voltar para casa esta noite? — perguntei a ela.

— Não, vou ficar por duas noites.

— Todo ano, vamos ao lugar preferido dela para comer panqueca de café da manhã quando ela vem no fim de semana do seu aniversário — Rush disse.

Me virei para ela.

— Seu aniversário é amanhã?

— Na verdade, é hoje.

— Ah, meu Deus. Parabéns!

— Obrigada. Rush pediu para o chef fazer um jantar especial para mim. Salmão Oscar. Estava muito gostoso.

Meu coração se aqueceu ao ver como ele era protetor e gentil em relação à mãe. Gostava mesmo desse lado de Rush. Se ao menos ele não fosse um idiota insensível no restante do tempo...

Ele enfiou a mão no bolso e entregou uma chave à sua mãe.

— Aqui. Pegue a chave e entre.

— Vai para casa esta noite? — ela indagou.

Aparentemente, ela conhecia muito bem o filho para saber que havia uma chance de ele *não* ir para casa. Provavelmente, pensava que ele ficaria no apartamento de alguma ficante.

— Vou. Só preciso terminar umas coisas aqui. Te vejo de novo lá em casa. Pode deixar suas coisas de arte. Eu guardo tudo no meu carro e levo para casa.

— Obrigada. Está bem. Até que estou ansiosa para tomar um banho quente. — Ela se virou e me abraçou. — Gia... foi um prazer enorme conhecer você. Me avise quando gostaria de ir me visitar. Faço um chá e reservo toda a tarde.

Abraçando-a, eu disse:

— Parece maravilhoso, Melody. Obrigada. Vou me programar. Foi ótimo conhecer você.

Ela começou a se afastar, então parou.

— Na verdade, gostaria de ficar com o quadro que fiz hoje? Tenho tantos. Não posso ficar com todos.

— Ah, meu Deus. Adoraria. Tem certeza?

— Absoluta. Adoraria que ficasse com ele. — Ela foi até onde estava o quadro e me entregou.

— Muito obrigada, Melody. De verdade, ganhei minha noite com isso. Vou pendurar no meu quarto.

Eu a observei seguir para a escada e desaparecer. O bar já estava fechado, e agora Rush e eu estávamos sozinhos no terraço.

Eu estava segurando o quadro, olhando para ele.

— Sua mãe é incrível.

— Ela é.

Coloquei o quadro na mesa, depois olhei para Rush por vários segundos.

— O que foi? — ele perguntou. — Está me olhando engraçado.

— Nada.

— Deixe-me adivinhar... está pensando como, com meu coração frio e meu temperamento, posso ser tão diferente da alma gentil, leve e zen que minha mãe é?

— Não falei isso. — Dei risada.

— Mas estava pensando.

— Não. Não estava pensando nisso especificamente, porque acho que você também é gentil, na verdade. Agora sei de onde vem isso, esse seu lado. Você mostra gentileza para mim. Só tem o dom de arruinar tudo às vezes. — Pausei.

— Quero que saiba que pedi desculpa para sua mãe pelo meu comportamento mais cedo. E, agora, vou me desculpar com você.

— Tudo bem. Sabe... você só a traumatizou porque agora ela pensa que seu filho precioso é um arrombador de bundas.

Caí na gargalhada.

— Nossa. Arrombador de bundas?

— É, ela vai ter pesadelos agora. — Ele deu uma piscadinha.

— Você é doido.

Nós dois caímos na risada. Pelo menos ele não me odiava mais.

Quando a gargalhada diminuiu, ele disse:

— Sinto muito por ter perdido o controle lá fora mais cedo.

Semicerrei os olhos para ele.

— Não sente, não.

— Tem razão. Provavelmente, eu diria aquela merda para você toda de novo.

— Imaginei.

— Você me deixou louco conversando com aquele bartender franguinho. Me descontrolei um pouco.

— Bom, se não quer ficar comigo, precisa se acostumar a ver essas coisas.

— Não significa que tenho que gostar, principalmente quando é na minha frente e no meu local de trabalho.

Sem querer falar disso com ele no momento, suspirei fundo.

— Podemos apenas esquecer que essa noite inteira aconteceu? Bem, exceto a parte em que conheci sua mãe divertida.

Ele me surpreendeu ao dizer:

— Sim. Podemos. — Rush foi até o bar. — Quer uma saideira?

— Vou dirigindo para casa. Estou com o carro de Riley hoje, então é melhor eu não beber.

Ele me ignorou, pegando um copo mesmo assim.

— Vou limitar a um, e vou fazer fraco.

— Qual é a de hoje? Qual palavrão preciso dizer para ganhar minha bebida grátis?

— Querida... você falou de foder o cu na frente da minha mãe, diria que está absolvida por um tempo.

Um calafrio percorreu minha espinha, e não consegui identificar se foi por causa da minha vergonha ou pelo fato de ele ter me chamado de "querida".

Cobri a boca.

— Ah, meu Deus. Esta noite realmente aconteceu?

— Creio que sim.

Observei, em silêncio, enquanto ele fazia uma mistura de frutas, colocava um pequeno guarda-chuva dentro e deslizava o copo para mim.

Dando um gole, pensei um pouco mais em como gostei de Melody de imediato.

— A vida é engraçada.

Ele ergueu uma sobrancelha.

— Engraçada?

— É. Estava pensando em como nós dois tivemos experiências similares, mas em situações opostas de vida. Eu tenho um ótimo pai e não tenho mãe. E você tem uma mãe incrível e não tem pai. Bom, você tem um pai... mas entendeu o que quis dizer.

Ele se apoiou no bar e fechou os olhos rapidamente.

— É, infelizmente, entendi... o que quis dizer.

— Enfim, é meio que uma coisa que temos em comum. Quando estava conversando com sua mãe esta noite, percebi que estava estranhamente com inveja de você, pensando que eu daria tudo para ter uma mãe como ela. Então, precisei me lembrar de que você também não tem alguém.

Rush estivera limpando o bar, mas parou e simplesmente olhou para mim.

— Enfim, nem sei por que estou falando isso para você agora. É só que...

— Pensei a mesma coisa quando conheci seu pai.

Fiquei surpresa ao ouvi-lo admitir isso.

— Sério?

— Sim. Lembro de pensar que gostaria de ter um pai assim. Então, você não está maluca. É natural ter inveja. Às vezes, você não percebe o que está perdendo até ver bem diante de você.

— É. Exatamente. — Ele tinha descrito exatamente o que eu sentia. — Você é uma alma complexa, Rush.

Realmente queria poder ficar ali a noite toda com ele. Percebendo que estava me apaixonando de novo quando era para estar tentando superá-lo, de repente, me obriguei a me levantar.

— É melhor eu ir.

Rush deu a volta no balcão e parou bem à minha frente.

— Cuidado no volante.

Ele ficou desconfortavelmente próximo, e seu cheiro, a mistura de cigarros e sua marca registrada de perfume, estava me enfraquecendo. Me lembrou da noite que ele passou na minha cama. Era para eu ir embora, mas não tinha me mexido. Meus mamilos estavam pinicando, e tive a vontade repentina de responder sua pergunta de mais cedo.

— Nunca ninguém entrou na minha porta de trás, mas eu estaria aberta a isso com a pessoa certa. Bem aberta.

Antes de conseguir capturar sua reação, passei por ele e fui para a escada.

CAPÍTULO 12

Rush

Fui dormir duro. Acordei duro.

Eu estava completamente fodido.

Não havia como baixar meu pau depois das palavras que saíram da boca de Gia na noite anterior.

Bem aberta.

Caralho.

Precisava me arrumar antes de ir tomar café da manhã com minha mãe.

Após outra sessão de masturbação em um banho frio e demorado, finalmente, consegui descer as escadas. Normalmente, nem gostava de bater uma. Preferia estar dentro de uma mulher de verdade, mas bater uma pensando no sexo anal com Gia — bem, devia ser a melhor coisa que eu ia conseguir, com exceção do ato verdadeiro.

Minha mãe estava me esperando na cozinha quando finalmente apareci.

— Bom dia, dorminhoco.

— Bom dia, mãe — respondi, me servindo do café que ela fez.

— Não sabia se você ia descer alguma hora.

— É, dormi demais. É melhor irmos comer. Estou faminto.

Faminto pela bunda de Gia.

— Na verdade, queria esperar você descer, mas não posso ir tomar café da manhã. Tenho que voltar para casa. Esqueci totalmente que vão entregar meu sofá novo esta tarde.

— Ah. Poxa, que droga.

— Por que não liga para Gia? Chame-a para ir tomar café da manhã. Gostei bastante dela.

— Mãe...

— Sente-se, Heathcliff.

Porra. Minha mãe me mandando sentar e me chamando pelo meu nome de nascença nunca eram um bom sinal. Da última vez que ela me fez sentar para uma conversinha, eu tinha dezessete anos e ela me contou que nosso cachorro morreu.

Puxei a cadeira e plantei minha bunda nela, de qualquer forma.

— Você sabe que, raramente, meto o nariz na sua vida pessoal.

E, depois da devassidão da bunda ontem à noite, imaginei que ficaria assim.

— Sei...

— Você não fala sobre mulheres. Na verdade, basicamente, a única vez que vi as mulheres que você... conhecia... era quando as via escalando para a janela do seu quarto no meio da noite quando era adolescente.

Arregalei os olhos.

— Você sabia disso?

Ela deu risada.

— Claro. E da água com que enchia minhas garrafas de bebida para substituir o álcool que tinha roubado. E da primeira tatuagem que fez aos dezesseis anos, mas só foi me mostrar aos dezoito. E de todas as vezes que tirou meu carro da garagem e o pegou emprestado à noite quando eu havia tirado seus privilégios por chegar tarde em casa. Aliás, gostava bastante que enchia o tanque toda vez que o roubava.

Balancei a cabeça.

— Como nunca falou nada sobre toda essa merda?

— Porque tudo isso faz parte do crescimento, querido. Ficava de olho em você de longe para garantir que não exagerasse ou se metesse em muita encrenca. Mas precisava te deixar viver um pouco e experimentar enquanto estivesse sob o meu teto. Se não começasse a infernizar antes de se mudar, não haveria ninguém para cuidar de você. É como aqueles jovens que bebem pela primeira vez quando vão para a faculdade. São eles que se machucam mais do que os jovens que experimentaram e aprenderam a lição já em casa.

— Bom... não sei o que dizer. Desculpe, eu acho. Por levar garotas para casa e por ser um lixo.

Minha mãe sorriu.

— Não é necessário. O objetivo de eu te contar isso agora não foi para fazer você se sentir mal ou para que se desculpe. É para te mostrar que, quando pensa que está escondendo coisas de mim, nem sempre é tão bom quanto acha.

— Não estou entendendo, mãe.

Ela se esticou e deu um tapinha na minha mão.

— Você tem sentimentos por Gia. E ela tem por você. Fortes.

Passei uma mão no cabelo.

— Ela não é simplesmente uma fod... — Parei de falar a tempo. — Ela não é alguém para se divertir junto e depois ir embora sem magoar, mãe.

— Então por que precisa ir embora e magoá-la?

Abri a boca, mas percebi que, para ser sincero, não tinha uma resposta.

Minha mãe deu um sorriso triste.

— Querido, às vezes, o risco de poder acontecer coisas ruins nos impede de viver todas as coisas boas que a vida tem a oferecer.

Minha mãe não era do tipo de dar um leve conselho. As melhores partes de mim eram as coisas que aprendi ao observá-la agir. Então refleti sobre o que ela disse por alguns minutos. Eu *queria* ficar com Gia... e não do jeito normal que queria ficar com mulheres — que, geralmente, se limitava a uma refeição e algumas horas na cama. Eu queria me sentar e conversar com ela. Queria levá-la à casa da minha mãe e observar a forma como seus olhos se iluminariam quando visse os quadros pela primeira vez. Claro que estava bem obcecado para estar dentro dela — não apenas para fazê-la gozar e para eu mesmo gozar. Queria preencher cada orifício daquela mulher. Alguns dias atrás, eu tinha sonhado que fodia aquela boca atrevida dela. Aparentemente, o dia anterior tinha sido o dia da bunda. Então por que eu *não estava* dando uma chance para ficarmos juntos?

Só havia uma resposta, e eu não gostava nada dela.

Estou com um puta medo.

Percebendo isso, olhei para minha mãe, que estava sentada em silêncio apenas bebericando seu chá e me esperando. Seus olhos analisaram meu rosto antes de ela falar de novo.

— Geralmente, quando se tem medo de se apaixonar por alguém, é porque já começou a se apaixonar, querido.

E lá estava eu pensando que era bem habilidoso todos aqueles anos, escondendo tudo da minha mãe. Balancei a cabeça de novo.

— Você sempre foi essa filósofa e eu nunca enxerguei?

Ela deu risada.

— Sabe que uns dos melhores filósofos no amor falharam no amor por si mesmos.

Partia meu coração ouvir minha mãe dizer isso. Eu sabia que meu pai havia fodido com ela, porém nunca questionei por que ela não tinha namorado quando eu era mais novo. Essa conversa já estava estranha... que porra...

— Por que você nunca namorou quando eu era mais novo?

Ela suspirou.

— Realmente amei muito seu pai. Quando ficou comigo, naquela época, não era a pessoa que é hoje. Pelo menos não parecia me mostrar esse lado dele. Ou eu que não queria ver. Mas fui pega de surpresa quando descobri que era casado e, naquele instante, ele revelou sua verdadeira essência. Demorei bastante tempo para me curar, e estava ocupada criando meu lindo filho... trabalhando... pintando. Usava a desculpa de estar ocupada para justificar não deixar ninguém chegar perto. É provável que não queira escutar isso... mas não fui celibatária todos esses anos, apesar de você nunca ter conhecido ninguém.

— Tem razão. Definitivamente, não quero escutar.

Ela sorriu.

— Minha perspectiva sobre relacionamentos não era muito melhor do que a sua agora. Na verdade, é por isso que, para mim, é tão claro o que está havendo com você. É como olhar no espelho para minha vida anos atrás de muitas maneiras.

— E aqui está você me dando conselho. Apesar de você mesma não o seguir.

Ela se levantou e colocou sua caneca na pia antes de se sentar de volta.

— Na verdade, tenho seguido meu próprio conselho. Estou saindo com uma pessoa.

Minhas sobrancelhas saltaram. Isso estava ficando bizarro pra caralho.

— Ah, é?

— O nome dele é Jeff. É curador de galeria de arte. Estamos saindo há quase um ano.

— Um *ano*? Por que nunca falou dele pra mim? Ou o trouxe para uma visita?

— Não sei. Acho que, no começo, presumi que seria meu típico relacionamento. Não esperava que florescesse de forma tão linda.

Uau. Simplesmente uau.

— Está simplesmente se abrindo sobre tudo hoje, não está?

Minha mãe deu risada e se levantou. Dei uma boa olhada nela pela primeira vez em muito tempo. Ela parecia bem feliz.

— Preciso ir para receber meu sofá. Se eu perder, eles vão me cobrar outra taxa de entrega. Por que você e Gia não vão para lá na semana que vem e nós almoçamos? Vou mostrar meu trabalho a ela e, depois, podemos todos ir à galeria de Jeff para ver os quadros que estão exibidos e jantar. Acho que está na hora de você conhecê-lo.

Ela andou até mim, e me levantei e a envolvi em um grande abraço. Senti uma dor no peito quando o pensamento de que Gia não tinha uma mãe para fazer isso surgiu em minha mente. Me fez querer dividir a minha com ela.

— Vou carregar seu carro para você.

Ao observar minha mãe ir embora, acenei uma última vez quando a vi olhando para trás para mim no espelho retrovisor. Fiquei na entrada da minha casa por uns minutos apenas pensando. Até cair em mim. Eu tinha acabado de marcar um encontro duplo com minha mãe — e uma mulher que eu não estava namorando?

Eu estava fingindo consertar um carro... *essa era nova.*

Apesar de ter ignorado a sugestão da minha mãe de levar Gia para tomar café da manhã, resolvi usar o dia para fingir consertar o carro dela — o carro que eu já tinha consertado e nunca lhe contara. O carro que eu havia arrumado e, depois, perdi a aposta para ter um motivo para fazer os reparos que já tinha feito. Qualquer coisa relacionada a essa mulher acabava sendo meio doida por algum motivo.

Mas ali estava eu, com um Nissan erguido e eu deitado debaixo dele, ouvindo música e fingindo fazer coisas. Havia batido na porta e pegado as chaves de Gia, dizendo que eram necessárias para consertar o freio e o pneu. Felizmente, o apanhado de assuntos sérios que conversei com minha mãe naquela manhã e a masturbação pareceram me impedir de me envergonhar quando ela atendeu à porta com os olhos sonolentos, vestindo shorts curtos e uma blusinha sem a porra de um sutiã.

Falei para ela que fora pagar minha dívida da aposta e precisava começar para poder seguir para a obra de uma das minhas propriedades. Mas a verdade era que os funcionários não trabalhavam no sábado. Só queria evitar que ela me convidasse para ficar ou algo assim. Minha mente ainda estava zonza pela conversa com minha mãe, e eu não estava bem da cabeça para passar um tempo com Gia.

Depois de uma meia hora de fingimento de conserto, senti um tapinha na perna, então saí de debaixo do carro.

Caralho.

Nem consegui tentar esconder a forma maliciosa que olhei. Gia estava parada ao lado do carro vestindo um biquíni amarelo e segurando o que pareciam dois copos de chá gelado. Seus peitos grandes eram empinados pra caralho e a pequena parte de cima do biquíni mal cobria suas aréolas.

— Que porra está vestindo? — finalmente rosnei.

Ela olhou para baixo.

— Um biquíni. O tempo está lindo, então vou tomar sol na piscina por uma ou duas horas antes de começar a escrever.

— Isso não é um biquíni, são tiras de um biquíni que alguém rasgou.

Ela inclinou a cabeça.

— Está dizendo que não gostou?

— Veste isso em público?

— Normalmente, não. Só uso no quintal porque é pequeno demais. Mas é perfeito para me bronzear.

— Que bom. — Peguei o chá da mão dela sem pedir e engoli. O dia estava ameno, mas, de repente, comecei a suar. — Obrigado pelo chá. É melhor ir para o quintal antes que seja processada por atentado ao pudor.

Ela estreitou os olhos para mim.

— Você é um babaca.

— É. Sei disso. Deixou bem claro. Para mim... e para minha mãe.

Ela fez beicinho.

— Vai me fazer sentir mal por isso para sempre?

Sorri.

— Provavelmente.

Gia mostrou a língua para mim. *Nossa, quero ver isso lamber a cabeça do meu pau.*

Me sentei na entrada da casa, me preparando para deitar de novo e terminar de fingir consertar.

— Não mostre essa coisa, a menos que planeje usá-la, mocinha.

— Estarei na piscina, se precisar de mim.

Voltei a deitar debaixo do carro.

— Tá bom.

Claro que não foi aí que acabou. Era com Gia que eu estava lidando.

— Rush.

Deslizei de volta para fora.

— O quê?

Um sorrisinho pecaminoso se abriu em seu rosto.

— Só não queria que perdesse minha volta para a casa. *Considerando sua obsessão pela minha bunda ultimamente.*

Antes de eu conseguir responder, ela se virou para se afastar, revelando a parte de trás do seu biquíni. Ou, mais especificamente, a falta de uma parte de trás dele. Gia estava usando uma calcinha de biquíni que revelava dois globos perfeitamente redondos, e aqueles bonitinhos me provocavam conforme se balançavam em direção à casa.

— *Jesus Cristo* — resmunguei para mim mesmo. Nunca tinha pensado no que essa expressão significava, mas, naquele instante, com o tanto que Ele estava testando minha paciência, tinha praticamente certeza de que não tinha coração.

— Tudo certo.

Encontrei Gia no quintal tomando sol. Claro que ela tinha que estar deitada de bruços para eu conseguir olhar melhor sua bunda. Era fenomenal pra caralho. Parecia um coração gorducho de cabeça para baixo de onde eu estava. Tinha passado a última hora fingindo consertar seu carro e a visualizando me cavalgar de costas, aquela bunda balançando como uma gelatina enquanto me cavalgava forte. Precisei forçar meus olhos para seu rosto e pigarrear a fim de continuar.

— Aqui estão suas chaves. Seus rotores também estavam desgastados. No futuro, não dirija com freios ruins. Só transforma um probleminha em um problemão.

Ela protegeu os olhos do sol e ergueu o queixo a fim de olhar para mim, ainda sem se virar.

— Ah. Certo. Obrigada. Posso fazer alguma coisa para você almoçar? É o mínimo para te retribuir pelas horas trabalhando no meu carro.

Essa bunda está no cardápio?

— Não. Preciso ir.

Ela se ergueu, tirando a barriga do chão e se ajoelhando em uma pose tipo de yoga, demorando-se antes de se virar.

— Tem certeza? — Ela mordeu o lábio inferior. — Deve estar com fome.

Ela está me zoando? Eu estava com fome mesmo.

— Estou com pressa.

Eu parecia um disco riscado, ainda assim, continuava ali. Minha cabeça queria sair da porra daquele quintal, porém, meus pés traidores não se mexiam. Nem quando ela se levantou, virou-se e praticamente esfregou a bunda em mim ao erguer o frasco de protetor solar.

— Pode passar protetor nas minhas costas antes de ir? Não quero ficar queimada.

Não.

— Claro.

— Obrigada.

Peguei o frasco e apliquei um pouco da loção branca cremosa na palma da mão. Engolindo em seco, comecei a passar nas costas dela. Seus ombros eram quentes e macios com uma camada mínima de pelos. Me lembrou de um pêssego. Minha boca salivou ao pensar em mordê-la.

— Pode passar um pouco mais para baixo?

Fiquei com dificuldade de respirar e meu pau inchou conforme baixei as mãos e passei no meio de suas costas. Estava entrando em território perigoso.

— Mais para baixo — ela pediu.

Eu sabia, por sua voz ofegante, que eu não era o único excitado.

Abaixei até logo acima de sua calcinha do biquíni e passei a loção por tudo.

Quando terminei, ela virou a cabeça para eu conseguir ver a lateral do seu rosto e fechou os olhos para sussurrar:

— Mais para baixo.

Caralho.

Não consegui me fazer parar. Peguei o protetor e apertei o suficiente na mão para cobrir o corpo todo de uma pessoa grande e, então, comecei a esfregá-lo em sua bunda. Ela tinha uma pinta perfeitamente simétrica com um formato bem único de coração do lado esquerdo. Passei a ponta dos dedos sobre ela. Quando derramei uma piscina de loção no topo da fenda da sua bunda e, lentamente, passei a mão no tecido do seu biquíni no meio da sua bunda, ela soltou um gemido baixo.

Mais. Faça mais sons assim.

Eu só conseguia pensar em como queria curvá-la e fodê-la por trás. Queria marcar cada centímetro da pele perfeita dos seus ombros com meus dentes enquanto deslizava tão fundo para dentro dela que nunca mais sairia. Meu coração disparou quando ela deu um passo para trás e pressionou o corpo contra o meu. Mas... eu não queria que fosse desse jeito. Ela não era simplesmente alguém que você fode curvada no quintal para dar um belo show para os vizinhos.

— *Gia...* — Minha voz tremeu enquanto eu tentava impedir o que estava a dois segundos de acontecer.

Felizmente, a voz de uma mulher partiu a névoa de tesão que a minha não conseguiu. Só que não era a voz de Gia. Virando a cabeça enevoada, percebi que era sua colega de casa, Riley, que trabalhava para mim.

Porra.

— *Ãh*. Desculpe. Não vi que tinha alguém com você — ela berrou.

Instintivamente, pulei para trás.

Riley desapareceu para dentro da casa e, nos segundos em que Gia demorou para se virar, consegui me desvencilhar daquilo.

— Desculpe por isso — ela disse. — Pode passar o resto?

— Tenho que ir. — Era a terceira vez que eu falava isso, mas foi sério dessa vez. Praticamente passei por cima do frasco de protetor solar, tentando sair logo dali.

— Rush. Espere — Gia gritou.

Contudo, não parei até entrar no carro. Não fazia ideia do porquê estava fugindo como um covarde, mas parecia que estava fazendo um favor a Gia.

CAPÍTULO 13

Gia

Outro dia perdido. Nada de escrita. Nada de enredo. *Nada* produzido.

E eu estava com a bunda queimada pelas horas que passara deitada de bruços esperando Rush aparecer no quintal. Nunca tinha usado um biquíni tão pequeno na vida. E era por isso que minha bunda virgem de sol parecia estar pegando fogo.

Quando Rush apareceu naquela manhã, eu tinha entrado em silêncio no quarto de Riley e pegado um de seus biquínis. Ainda não conseguia acreditar que tive coragem de usar aquela coisa — mal cobria meus seios e expunha toda a minha bunda.

No entanto, nem praticamente me jogar nua nele funcionou. Me fez sentir deprimida e mais do que brava. Riley percebeu e veio se sentar comigo no sofá.

— Desabafe, quatro olhos.

Troquei a posição pela milésima vez no dia, me apoiando mais na parte esquerda do quadril do que na parte queimada, e coloquei os óculos na cabeça.

— Não faço ideia de como você usa aquele biquíni. Minha bunda está tão queimada que está crocante.

— Ah, não vai, não. Não vai evitar esta conversa dando a desculpa de que essa cara deprimida é por causa de uma bunda queimada.

— Como assim?

Ela me lançou um olhar que dizia para *parar de mentir*.

— O que está havendo entre você e o chefe? Eu o vi lá fora com você hoje de manhã, passando protetor na sua bunda. Parecia que ele estava prestes a esguichar um creme diferente em você.

— Ele veio consertar meu carro. Praticamente me joguei nele. *De novo*. Mas nada aconteceu.

— Sinceramente, não sei o que você vê nele. Bom, além do óbvio... que ele é gostoso pra cacete. Mas é babaca demais.

Balancei a cabeça.

— Na verdade, não é. Não quando você o conhece. Acho que é o jeito dele de manter as pessoas distantes. Definitivamente, não deixa as pessoas se aproximarem com facilidade.

— Mas deixou você?

— É, acho que sim. Temos uma conexão. Sei que ele sente atração por mim. E, com certeza, sinto atração por ele. Mas é mais do que isso. Embora nada disso tenha me favorecido, porque ele não deixa nada acontecer entre nós fisicamente, não importa o quanto eu tente. Não entendo.

Riley apontou um dedo para mim.

— Você acabou de responder sua própria pergunta.

— Do que está falando?

— Falou que vocês dois têm uma conexão que é mais do que física.

— E?

— É esse o problema.

— Não estou acompanhando.

— Um cara como Rush é o tipo de cara de uma noite só. Trabalho no The Heights há três anos. Ele gosta de um certo tipo de mulher.

Revirei os olhos.

— É. Do tipo *biscate*. Já vi algumas indo lá.

— Há um motivo para ele só se envolver com um certo tipo de mulher.

— Qual?

Riley deu risada.

— Não sei. Mas, provavelmente, você sabe se está tão próxima dele como falou. — Ela deu de ombros. — Talvez uma ex o tenha decepcionado.

— Acho que ele nunca teve relacionamentos longos.

— Certo. — Ela bateu o dedo no lábio. — Normalmente, não é de um relacionamento que alguém tem medo, mas sim de um relacionamento ruim.

E isso, geralmente, vem de algo em sua vida, tipo uma ex. Mas talvez seja uma coisa diferente.

O pai dele.

E como seu pai tratou a mãe dele. Isso lhe deu uma visão negativa, com certeza. Mas não queria falar sobre questões pessoais de Rush com Riley, apesar de considerá-la uma boa amiga.

— Não sei. Mas, se esse for o caso, e ele evita relacionamentos por causa de alguma coisa da vida dele, como eu vou passar por cima disso?

Riley jogou uma almofada que estava segurando no colo em mim.

— Não vai, boba. Dê o que ele *pensa* que quer, e deixe o relacionamento fluir naturalmente. Diga a ele que você só quer um pau amigo no verão. Tranquilize a mente dele de que ele não precisa se preocupar com a parte do relacionamento. Comecem a transar e, se for para ser, o resto vai simplesmente se encaixar, e ele só vai perceber quando for tarde demais.

— Não sei... parece que assim alguém pode se magoar...

— É. *Você*. Se, depois que o período de pau amigo acabar, ele terminar tudo, claro que é você que vai se magoar. Mas o que você tem agora? Uma amizade esquisita e o celibato. Olha, quando for embora assim que o verão acabar, vai ficar arrasada se ele não mantiver contato, certo? Então por que não ter um verão foda, literalmente, se vai ficar emburrada em setembro de qualquer forma?

Acho que ela tinha razão... só havia um problema.

— Mas Rush não me enxerga assim.

— Então faça com que ele enxergue.

— Como?

— Tem quanto tempo até a hora de ir trabalhar?

Olhei para o meu celular.

— Uma hora e meia mais ou menos.

Riley se levantou.

— Venha, não é muito tempo para transformar essa bunda bonita em uma biscate.

Sentia que as Pink Ladies tinham acabado de me transformar na Sandy sexy de *Grease*. Saindo do carro, olhei para minha roupa uma última vez e respirei fundo. Blusinha decotada vermelha, minissaia e saltos que eu duvidava que conseguiria suportar por mais de uma hora trabalhando a noite toda. Riley tinha adicionado muito mais volume ao meu cabelo naturalmente ondulado e me maquiado com toda aquela coisa de contorno que vejo as pessoas fazerem no YouTube, mas nunca tive vontade de tentar.

Olhei para o meu reflexo na janela conforme andava em direção à porta. Estava bonita. Sexy, do tipo vadia. Definitivamente, mais parecida com as mulheres com que Rush saía. Oak assobiou e abriu a porta.

— Está bonita, Gia.

Ruborizei, porém, na verdade, seu comentário aumentou um pouco meu nível de confiança.

— Obrigada.

Lá dentro, olhei em volta, e uma onda de alívio me lavou ao não ver sinal do chefe. A roupa era apenas metade do plano. Eu precisava realmente reunir coragem para abordar Rush e oferecer a ele... bem, *meu corpo*.

Comecei a me preparar para o jantar, como sempre: verifiquei as reservas, me informei com a cozinha sobre quais eram os pratos especiais para que eu soubesse quando as pessoas ligassem e perguntassem — *sempre* ligavam antes e perguntavam —, levei para os bares mais garrafas de qualquer que fosse a bebida especial da noite e ajudei os meninos a arrumar as mesas. Estava lá há cerca de uma hora, ainda sem sinal de Rush. Me acalmei e fiquei mais à vontade, pensando que, talvez, ele não fosse aparecer naquela noite, e eu não teria a chance de fazer a proposta.

E foi por isso que, quando abri a porta do escritório dos fundos para colocar um dos telefones sem fio para carregar, não esperava encontrar ninguém lá dentro.

Pulei ao encontrar Rush. Sua mesa estava incomumente limpa, e ele estava sentado olhando para o nada.

— Rush! Desculpe. Pensei que ainda não estivesse aqui.

Seus olhos baixaram lentamente pelo meu corpo e subiram ainda mais devagar. Fixaram-se no meu decote por longos segundos antes de seu olhar encontrar o meu.

— Toda arrumada para esta noite por algum motivo?

Merda.

Ele tinha acabado de me dar a oportunidade perfeita para colocar o plano em prática. Engoli em seco e tentei não gaguejar.

— Sim.

Rush estreitou os olhos.

— Tem um encontro?

— Talvez.

Seu olhar era intenso.

— Quem é o sortudo?

Minha pulsação acelerou. Estava prestes a acontecer. *Não amarele, Gia. Não seja uma merdinha covarde a vida inteira.*

Rush se levantou e deu a volta na mesa. O escritório já não era muito grande, mas tê-lo a dois passos de distância enquanto eu dizia o que queria fez parecer que as paredes estavam se fechando à minha volta.

Ele cruzou os braços e sua mandíbula ficou tensa.

— Para quem você colocaria essa roupa de biscate, Gia?

Olhei para os meus pés, respirei fundo e, então, encontrei seu olhar de cabeça erguida.

— Você. Vesti esta roupa para você.

Rush deu um passo para mais perto. Sua expressão estava neutra, sem ceder nada.

— Gosta de usar roupas indecentes para mim, não gosta?

Assenti.

— Gosta de me provocar?

Minhas mãos começaram a suar.

— Não. Bom, sim. Mas não quero mais te provocar.

Ele inclinou a cabeça.

— Cansou de me provocar?

— Sim.

— Mas colocou essa roupa mesmo assim?

— Sim.

— Então não sabe a definição de provocação?

Desembuche, Gia. Desembuche!

Respirei fundo uma última vez. Ou eu ia hiperventilar ou acabaria com isso.

— Provocação é quando você incita alguém sem intenção de seguir em frente. — Olhei nos olhos dele. — Eu gostaria de seguir em frente. Acho que você e eu... *deveríamos transar*. — Agora que eu tinha aberto a porteira, as palavras começaram a sair. — Você não entra em relacionamentos. Obviamente, estamos atraídos um pelo outro. Às vezes, nos damos bem... apesar de outras vezes brigarmos. Mas é verão e... sabe... nós dois temos necessidades. Então por que não pode ser meu pau amigo? — Me encolhi depois de falar essa última parte, pensando que eu soava como uma vadia. Ou como Riley. *Bem...* Riley dormiu com bastante gente *mesmo*. Mas isso não estava em questão. Agora eu não conseguia interromper a divagação na minha mente, muito menos a divagação na minha boca. *Ótimo. Simplesmente ótimo.*

Rush arqueou uma sobrancelha.

— Pau amigo?

Apertei meus lábios pintados de vermelho que diziam venha-me-comer e assenti.

— Então você só quer transar comigo? Mais nada?

Assenti.

— Entendi. — Ele me encarou. — Deixa eu entender isso direito... para ficar claro. Não quer me namorar?

— Não.

— Mas quer transar comigo?

— Sim.

— Então digamos que eu poderia... passar na sua casa depois do trabalho a hora que eu quiser e talvez te comer?

Engoli em seco.

— Sim.

— E talvez, às vezes, poderia me fazer um boquete.

— Claro.

— E eu poderia ir embora depois que acabasse o sexo? Sem exigência de dormir junto ou sutilezas?

— Isso mesmo.

Sua expressão estava totalmente impassível; eu não fazia ideia do que estava havendo naquela cabeça dele. Após mais uma encarada intensa e longa que quase me fez desmoronar, ele voltou para atrás de sua mesa e se sentou.

— Quanto tempo eu tenho?

— Perdão?

— Para decidir e te dar minha resposta à sua proposta.

— Ah. — Eu não tinha pensado tão longe. Mas não poderia me torturar para sempre. Endireitei minhas costas. — Até o fim da noite.

Rush pegou uma caneta e uma folha de papel de uma pilha arrumada no canto de sua mesa. Ao começar a ler, resmungou sem olhar para cima.

— Volte para a porra do trabalho, Gia.

O restante da noite foi, no mínimo, tenso.

Havia flagrado Rush me encarando enquanto eu trabalhava. Ele não estava flertando nem nada parecido. Na verdade, ele parecia mais bravo ao longo da noite. Era impossível saber o que ele estava pensando.

Incapaz de me concentrar, eu estava cometendo erros a torto e a direito, esquecendo de entregar os cardápios nas mesas ou levando pessoas à seção errada — tudo isso, claro, sob o olhar atento de Rush.

A ficha do que eu tinha feito estava começando a cair. Por que eu havia me vestido assim? O homem tinha, oficialmente, me deixado louca. Eu me fizera de boba diante dele — me jogado para ele. Essa nunca era a solução para conseguir fazer um homem te querer. Era o contrário do que alguém deveria fazer.

Eu tinha me arrumado toda, me feito parecer uma biscate, apesar de, lá no fundo, saber que sua atração por mim nunca foi um problema; a questão era que ele não queria ficar comigo. Ponto final. Ele gostava de mexer comigo, de flertar, chegar ao limite. Mas não queria realmente puxar o gatilho. Se quisesse, teria acontecido agora. Eu havia confundido sua necessidade de macho-alfa de me proteger com interesse de verdade. Estava totalmente enganada. Ele tinha problemas, e eu tinha cansado de ser um deles.

Em certo ponto, a uma hora de fechar o restaurante, Rush passou por mim e disse:

— Venha até o meu escritório quando acabar seu turno. — Afastou-se antes de eu conseguir responder, deixando o rastro de cheiro almiscarado de cigarros e seu perfume.

Ótimo. Era isso. Seria o momento em que ele me daria todos os motivos para não querer ter nada comigo.

Ele sabia que eu não era do tipo de apenas sexo. Tínhamos conversado sobre isso, pelo amor de Deus. Não havia como enganá-lo.

Além do mais, por que ele iria se incomodar com alguém que era emocionalmente necessitada quando tinha mulheres lindas aos seus pés o tempo todo, que realmente só queriam a mesma coisa que ele? Apenas sexo, não amor.

Você é tão tola, Gia.

Quando meu turno acabou, fiquei enrolando para ir à sala dele. Ele tinha desaparecido da área principal, então presumi que estivesse me esperando lá.

Talvez eu o ignorasse e simplesmente fosse para casa. Afinal de contas, eu tinha um carro funcionando estacionado lá fora agora, graças a ele. Não havia motivo para me fazer passar por essa agonia de ouvi-lo me rejeitar.

Continuei enrolando até ele, finalmente, descer para a recepção, parecendo mais bravo do que nunca.

— Fechamos há meia hora. Pensei que tivesse falado para você ir ao meu escritório. Estava te esperando.

Organizando uns cardápios e sem olhá-lo mais no olho, falei:

— Bem, não tenho que fazer alguma coisa só porque você fala.

— Gia... — ele disse, bravo. Quando olhei para cima, seus olhos queimaram os meus. — Mova sua bunda para o meu escritório.

Rush saiu marchando, e eu cedi, seguindo-o com o coração acelerado.

Após entrar, fechei a porta e cruzei os braços.

— Ok, o que foi?

Rush se sentou e colocou os pés em cima da mesa. Começou a bater uma caneta repetidamente antes de começar:

— Estive pensando no que você propôs mais cedo, e acho que não é uma boa ideia. Eu...

— Pare! — gritei, me descontrolando. — Apenas pare! Não preciso ouvir isso, tá bom? Já sei o que vai falar, que não acredita que realmente falei sério quanto a sermos amigos com benefícios. Nunca vai me enxergar como uma amiga para transar. Blá, blá, blá. Por favor, me poupe. Não quero ficar para ouvir a explicação.

Sua cadeira de rodinhas bateu na parede de trás conforme ele se levantou de repente. Após marchar na direção de onde eu estava em pé, ele parou a um passo de mim.

— Vai me deixar terminar?

Andei para trás, me afastando dele, em direção à porta.

— Não. Não quero conversar sobre isso. Agi como uma boba, me jogando em você, e isso nunca deveria ter acontecido. Tem razão. Não sou o tipo de garota para você. Tenho dignidade e amor-próprio, e quero mais... muito mais do que ser seu brinquedo sexual. Não estou nem aí para o quanto você é atraente com todo esse ar de bad boy misterioso. No fim, é um homem que não quer nada das coisas que eu quero da vida.

— Posso só...

— Não — interrompi. — Estou indo.

Assim que me virei, senti sua mão segurar meu pulso. Ele me virou rapidamente e me colocou de costas para a porta.

Conseguia sentir sua respiração enquanto ele falava perto do meu rosto.

— Você é teimosa pra cacete. Deveria te virar e bater na sua bunda muito forte por não me deixar dizer nem uma palavra sequer.

Meus mamilos ficaram duros ao pensar nisso. Engoli em seco.

— Viu... é isso que você faz. Você...

— Cale. A. Boca.

Antes de eu poder brigar com ele por me mandar calar a boca, seus lábios estavam nos meus, engolindo todos os meus comentários atrevidos e não ditos. Minhas pernas quase cederam pela força bruta do seu beijo.

As mãos de Rush se enterraram no meu cabelo conforme ele enfiou a língua na minha boca. Acompanhei desesperadamente o ritmo das suas investidas. O gosto dele era bom pra caramba, de cigarro e de algo próprio dele. Gemi em sua boca, sem conseguir esconder meu desespero por mais. Agora minhas mãos que estavam enfiadas em seu cabelo, apertando mais ainda seus lábios nos meus. Não me cansava do seu gosto viciante.

Sua barba por fazer raspava um pouco no meu queixo enquanto ele inclinava cada vez mais seu corpo no meu e continuava a invadir minha boca. Desceu as mãos do meu cabelo para minhas costas até pararem na minha bunda. Ele a apertou forte, depois pressionou, sem se desculpar, seu pau rígido contra o meu abdome.

Seus gemidos baixos de prazer eram tudo que eu tinha imaginado. Me senti cada vez mais fraca quanto mais ele continuava a devorar meus lábios. Agora minha calcinha estava ensopada, e eu sabia que era um caso perdido se ele tentasse transar comigo ali mesmo.

Rush sugou meu lábio inferior com força, depois se afastou de repente. Parecia sofrer conforme ofegava.

— Precisamos conversar.

CAPÍTULO 14

Rush

Parecia que eu tinha mijado no cereal de Gia quando interrompi o beijo.

Me afastar daquilo foi uma das coisas mais difíceis que já tive que fazer. No entanto, precisávamos ter essa conversa. Sem contar que eu não ia fodê-la no meu escritório. Estava chegando perigosamente perto de acontecer isso. Mais alguns segundos daquele beijo, e eu não sabia se teria conseguido parar.

Ela estava ofegante.

— O que você precisa dizer?

Meu pau ainda estava duro quando respondi:

— Se tivesse parado de falar por dois segundos mais cedo, teria percebido que estava enganada no que pensou que eu fosse te falar esta noite.

Respire fundo.

— Não quero só foder... — Corrigi minha linguagem, porque o que tinha para falar era importante. — Não quero só... dormir com você. — Expirando, empurrei o resto das palavras para fora. — Acho que deveríamos... ver aonde as coisas vão.

Ela ficou boquiaberta.

— Aonde está querendo chegar?

— Mais cedo, quando entrou na minha sala toda arrumada, parecendo a porra da Betty Boop, eu estava pensando exatamente nisso entre nós, tentando entender meus sentimentos. Porém, não havia nada para entender, exceto que estive em negação. Não posso te prometer nada, Gia. Não posso prometer que não vou foder com tudo. Mas... quero tentar.

Ela arregalou os olhos em genuína surpresa.

— Quer mais do que apenas uma transa casual comigo?

Assenti.

— É. — Me aproximando, coloquei as mãos em suas bochechas e limpei o que restou do seu batom na boca. — E você não precisa de toda essa merda no rosto. É linda pra caralho sem isso. Da próxima vez que fizer isso, vou tirar tudo com beijos.

— Isso é um desafio? — Seu rosto ficou vermelho. — Então... o que fazemos agora? Para onde vamos a partir de agora?

O conceito de ter um encontro era muito estranho para mim. Não conseguia me lembrar da última vez que tinha levado uma mulher para sair em um encontro formal. Quanto mais devagar eu fosse com Gia, menos chance eu tinha de estragar tudo. Isso significava evitar ficar sozinho com ela por um tempo.

— Está de folga amanhã à noite, certo? — perguntei.

— Certo.

— Passo para te buscar.

Ela sorriu de forma tola.

— Vai me levar para um encontro?

Meu coração começou a palpitar ao pensar nisso.

— Olha... não sei muito bem o que fazer quando se trata de ter um encontro. Não vou a um *encontro* de verdade há bastante tempo. Mas, sim, vou passar para te pegar. Te levar para sair.

— Me pegar. Me levar para sair. Parece bastante com um *encontro* — ela zombou.

Revirei os olhos, então sorri, cedendo.

— Está certo, droga. É um encontro.

Qual é o meu problema esta noite?

Indeciso pra caralho, tirei a terceira camisa que tinha vestido em cinco minutos e a joguei no canto do meu quarto. Você pensaria que eu nunca tinha levado uma mulher para sair.

Não estava acostumado a me arrumar e, enfim, acabei com uma camisa preta e jeans escuro. A realidade era que a camisa certa não iria me proteger do meu próprio comportamento autodestrutivo naquela noite. Sabia muito bem que não tinha controle da minha reação física em relação a Gia. Queria conhecê-la ainda melhor, sim. Queria ficar com ela, sim. Mas queria transar com ela mais do que respirar, e estava preocupado que essa necessidade superasse tudo isso no minuto em que começássemos a nos tocar de novo naquela noite. Eu iria perder a cabeça. Simplesmente sabia disso.

Havia feito uma reserva para nós em um restaurante fino de frutos do mar que ficava a uma meia hora daqui. Imaginei que, quanto mais longo o caminho, melhor. Era mais tempo no carro onde eu não poderia me meter em encrenca logo no primeiro "encontro".

O sol estava começando a se pôr quando parei na casa de praia.

Após tocar a campainha, sequei o suor da testa enquanto aguardava que ela atendesse. O fato de ela ainda não saber que eu era dono daquela casa me fez rir sozinho.

Gia abriu, bonita o suficiente para ser comida bem ali, e isso só confirmava o quanto eu estava fodido. Ela estava usando um vestido amarelo decotado longo e esvoaçante. Apesar de ser sexy, não ficava parecendo uma biscate. Seu cabelo estava solto e ondulado. Havia uma faixa brilhante no topo de sua cabeça e que passava pela testa. Me lembrou de algo que Cleópatra teria usado. Gia era naturalmente exótica e linda, então fiquei feliz por ela ter me escutado e passado o mínimo de maquiagem. Ela não precisava.

— Está bonita. — Sorri.

— Você também.

Sem saber o que fazer com as mãos, eu as enfiei nos bolsos. Estava consciente de cada movimento meu. Era como se, de repente, tivesse me esquecido de como agir perto dela. Agora que sabíamos para onde as coisas estavam e que eu tinha passe livre para tocá-la, estava me cagando de medo de ir rápido demais e fazer algo que a magoasse.

Conforme andamos até meu Mustang, ela perguntou:

— Aonde vamos?

— Já ouviu falar do Oceanside Manor?

— Já. Aquele lugar é chique pra caramba.

— Então tente se comportar. — Dei uma piscadinha, abrindo a porta do passageiro. — Sem se meter em brigas esta noite.

Quando ela se sentou, respirou fundo.

— Estava com saudade de andar no seu carro.

Caramba, eu também estava com saudade disso.

Ela cruzou as pernas, revelando que o vestido tinha uma fenda gigante que me permitia ver sua perna bronzeada e tonificada até acima da coxa.

Droga. Droga. Droga. Fiz tanto esforço para ter um tempo extra no carro a fim de me manter longe de problemas...

Enfiando a mão no bolso para pegar um cigarro, percebi que tinha acabado. Não havia como sobreviver a trinta minutos com as "pernas" bem ali se não poderia fumar.

No fim da rua, parei abruptamente em uma 7-Eleven antes de pegarmos a estrada.

— O que está fazendo?

— Tenho que comprar cigarro. Deixei meu maço em casa.

Saí correndo do carro para não ter que ouvir seu sentimento de culpa por eu ainda estar fumando. Aquela não era a noite de parar.

— Um maço de Marlboro — pedi ao caixa.

Quando ele me entregou, enfiei a mão no bolso e vi que minha carteira não estava lá. Apalpando a roupa, logo descobri que tinha deixado a carteira em casa.

Merda!

Fiquei tão preocupado com o que vestir como um babaca que esqueci a coisa mais importante.

Me apoiando no balcão, suspirei fundo e deslizei os cigarros de volta para o caixa.

— Foi mal, cara. Esqueci a carteira.

Gia deve ter sentido pela minha cara que eu estava bravo quando voltei para o carro.

— O que houve?

Dando partida, suspirei.

— Temos que voltar. Deixei a carteira em casa. Vamos passar lá, e eu entro correndo para pegar.

Ela colocou a mão na minha coxa, e isso fez meu pau se mexer.

— Não seja bobo. Posso pagar o jantar.

Nunca que iria deixar Gia fazer isso, mesmo que eu pagasse para ela depois. Não conseguia imaginar coisa mais humilhante do que vê-la abrir a carteira e pagar a conta esta noite.

— Não. Vou voltar.

Durante o caminho todo para minha casa, fiquei me preparando para sua reação quando parasse na minha entrada. Ela nunca tinha visto onde eu morava.

Quando, finalmente, nos aproximamos, como previsto, seus olhos saltaram.

— Ah, meu Deus. *Esta* é a sua casa? É incrível.

Apesar de eu não gastar dinheiro como meu pai e meu irmão, com a riqueza que eu herdara, a única coisa que tinha me dado era uma casa bem legal.

Com dois andares, cheia de vidro em volta, e vista para o oceano, era realmente uma propriedade linda. Não havia como negar. Era em uma pequena área particular da praia, isolada — exatamente como eu gostava.

Estava quase entrando quando Gia perguntou:

— Você se importa se eu entrar com você? Adoraria ver o interior.

Não deveria ter me surpreendido que ela quisesse ver a casa. Tecnicamente, eu deveria ter sido um cavalheiro e a convidado para entrar. Só que não confiava em mim sozinho com ela. Mas o que eu deveria fazer agora? Obrigá-la a ficar no carro depois de ela ter pedido para vê-la?

— Não. Claro que pode.

Quando entrou, Gia olhou em volta, absorvendo meu estilo moderno, porém minimalista. A maioria dos móveis era preta ou cinza. As paredes do espaço principal eram brancas e cobertas por quadros da minha mãe. Eu tinha lhe pedido, especificamente, para pintar diferentes variações da lua sobre o oceano à noite.

Gia estava absorvendo tudo.

— Rush... este lugar. É...

— Obrigado.

Ela não demorou muito para notar a arte. Foi diretamente para o quadro da lua cheia.

— Sua mãe que fez?

Andei atrás dela.

— Sim.

— São maravilhosas — ela disse, passando o dedo delicadamente na tela. — Você tem uma obsessão com a lua?

— É, pode-se dizer que gosto da lua. Ela sempre esteve lá para mim e tem um ladinho negro, acho que como eu. Pedi à minha mãe para pintar diferentes interpretações da lua sobre a água à noite.

Podia ver as engrenagens funcionando na cabeça de Gia, como se estivesse tentando descobrir por que eu adorava a lua, talvez tentando encontrar alguma relação entre isso e minha ânsia por confiabilidade, amor ou alguma merda assim.

— Bom, definitivamente, acho que a lua combina mais com você do que o sol.

Ergui uma sobrancelha.

— Porque sou lunático?

Ela deu risada.

— Bem, é, mas também por causa do clima obscuro e misterioso.

Gia apenas continuou perambulando pela casa, sem perceber que eu estava querendo sair.

— Se importa se eu olhar o primeiro andar?

Eu não ia conseguir sair dessa, porém, uma parte de mim estava começando a querer lhe mostrar mais, conforme me acostumava a tê-la dentro da minha casa. Em vez de responder, indiquei com a cabeça para ela me seguir e subir as escadas.

Ela rodopiou pelo meu quarto e abriu as portas que levavam ao deque superior.

O restante do sol estava baixando sobre o oceano. Gia ficou ali parada, apenas absorvendo o ar noturno e a paisagem. Ela estava extraordinária com os cabelos ao vento conforme olhava para o horizonte.

Nós dois ficamos em silêncio por um bom tempo, olhando para as gaivotas antes de ela, enfim, falar.

— Se eu morasse aqui, tenho praticamente certeza de que nunca iria embora.

Uma imagem de Gia algemada, amarrada à minha cama, sem conseguir sair, passou pelo meu cérebro.

Não dá para controlar os pensamentos, certo?

Quando ela se virou para mim, por algum motivo, tive vontade de dizer:

— Você é muito bonita. Sabia?

De onde veio isso?

— Aposto que fala isso para todas as mulheres que traz a esta varanda.

Raramente levava mulheres para casa, se pudesse evitar. Tipicamente, eu ia para a casa delas. Nas raras ocasiões que eu não conseguia evitar, nunca as levava para o meu quarto, que tinha a varanda. Usava o quarto de hóspedes do térreo para "entretenimento".

— Você é a primeira que já pisou aí.

Sua testa ficou franzida.

— Está falando sério?

— Estou. Sou um cara reservado. Nunca trouxe uma mulher aqui para cima. Aqui... em cima... é tipo meu santuário.

— Como me deixou subir aqui, então?

— Não faço ideia. Acho que... confio em você... ou algo parecido.

Ela ergueu a sobrancelha.

— Ou algo parecido?

— Algo que nem eu entendo. Fico louco perto de você. Desde quando te conheci, você despertou algo em mim que não tenho conseguido conter.

— Então, não... contenha.

Me aproximei mais dela, colocando uma mecha de cabelo atrás de sua orelha.

— É como se eu quisesse te proteger e te corromper ao mesmo tempo. É bizarro.

— Não é bizarro. É fofo.

— Não pensaria que sou fofo se soubesse o que está passando pela minha cabeça agora.

— Acho que tenho uma vaga ideia.

Querendo demais beijá-la, me contive, então olhei para o meu celular.

— É melhor irmos...

— Você tinha uma reserva para jantar?

— Tinha. Perdemos.

Ela pareceu hesitante ao dizer:

— Se importa se ficarmos por aqui em vez de irmos para lá? Não estou muito a fim de ir a um restaurante. Sinto que passo metade da minha vida em um. Adoraria sentar neste deque com uma taça de vinho. Talvez pedir comida?

Parecia exatamente o que eu queria fazer se não estivesse com tanto medo de ficar sozinho com ela.

Quando não respondi, ela comentou:

— Tudo bem se preferir sair.

— Não. Tudo bem — soltei. — Podemos ficar aqui.

Minha noite tinha acabado de se tornar bem mais desafiadora.

CAPÍTULO 15

Gia

Rush pediu comida italiana de um restaurante chamado Margarita's, que ficava no fim da rua dele.

Bebemos vinho com nosso parmegiana de berinjela e camarão Scampi. Ele parecia bem mais relaxado do que estivera mais cedo.

Havia um espaço foda no deque superior. Estávamos deitados em espreguiçadeiras. Ele bebia vinho e fumava conforme seu cabelo esvoaçava na brisa noturna. Agora estava escuro, tornando a ponta acesa do seu cigarro mais proeminente.

Ele mantivera uns bons metros de mim a noite inteira. Mas eu só conseguia desejar que ele se aproximasse mais conforme a lembrança do nosso beijo do dia anterior consumia meus pensamentos. Nunca havia sido beijada com tanta ferocidade, de forma tão apaixonada. Só conseguia imaginar como ele era na cama.

Durante o jantar, conversamos sobre muitas coisas, incluindo nossas infâncias e um pouco sobre seus negócios variados. Conseguimos falar sobre uma gama de coisas — bem, exceto o que estava acontecendo entre nós.

Agora estávamos simplesmente encarando o oceano de novo.

— Me sinto tão calma aqui. É tão tranquilo — falei.

— Nunca compartilhei esta vista com ninguém.

— Ainda não consigo acreditar nisso.

Ele apagou o cigarro e estendeu a mão para mim.

— Estou gostando de você estar aqui. Bastante.

Eu a apertei, notando seu olhar de preocupação.

— Parece que isso te incomoda um pouco. O que tem de errado em gostar disso?

Ele ficou em silêncio por muito tempo, depois disse:

— Não aguente nenhuma merda de mim, Gia. Tá certo?

— O que isso significa?

— Se me pegar começando a estragar tudo, me coloque no meu lugar.

Estava claro que Rush tinha medos profundamente enraizados quanto a me magoar. Talvez fosse consequência de seu pai ter abandonado sua mãe.

— Sabe, eu poderia te magoar tanto quanto você pode me magoar. Lembre-se, sou a filha de uma mulher que abandonou o marido e a filha. Eu também posso ter esse sangue ruim. Mas não vou me preocupar com isso. E não tenho medo de você, Rush.

— Deveria.

— Por quê?

— Porque quero fazer coisas bem ruins com você agora mesmo. Eu deveria mesmo era estar te levando para casa.

— Não quero ir embora.

Seu olhar era penetrante.

— O que você quer, Gia?

Me sentindo ousada, levantei da cadeira, engatinhei até a dele e comecei a montar nele.

— Isto — respondi antes de devorar seus lábios e beijá-lo com cada milímetro da minha alma. — Quero você, Rush — sussurrei em seus lábios.

A velocidade do beijo aumentou quando ele me ergueu de repente, me carregando pelas portas e indo até a cama.

Ele me deitou, ficando acima de mim.

— Quero ir devagar, mas preciso muito provar sua boceta, Gia.

Suas palavras fizeram os músculos entre minhas pernas pulsarem.

Lentamente, Rush ergueu meu vestido, enterrando a cabeça entre minhas pernas e beijando a pele entre minhas coxas delicadamente.

Me contorci, sem conseguir controlar a reação do meu corpo à sensação.

— Relaxe — ele disse.

Quando sua língua encostou no meu clitóris, juro que vi estrelas. Soltando um gritinho pelo contato, joguei a cabeça para trás em êxtase. Agora, minhas pernas estavam tremendo.

Ele me puxou para mais perto em um movimento brusco, enquanto enterrou a língua em mim, mexendo-a no meu clitóris e usando toda a boca para me dar prazer.

Meus olhos estavam fechados quando senti seus dedos deslizarem para dentro de mim. Ele estava me fodendo com os dedos conforme continuava a devorar minha pele.

Não esperava gozar tão rápido. Meus músculos simplesmente começaram a se contrair na boca dele. Durei o total de um minuto, sem conseguir me lembrar da última vez que um homem tinha usado a boca para me dar prazer.

Gritei ao atingir o clímax e puxei o cabelo de Rush.

Ele havia me deixado totalmente mole e sem fala. Erguendo-se para respirar, Rush lambeu os lábios e gemeu:

— Mal posso esperar para te foder, Gia.

A ereção esticava sua calça jeans. Eu sabia que ele precisava de alívio, e mal podia esperar para fazê-lo terminar.

Segurando a fivela do seu cinto, tentei abrir o zíper, mas ele colocou a mão sobre a minha a fim de me impedir.

— Não posso fazer isso esta noite. Vou te destruir. — De repente, ele saiu da cama. — Já volto.

Ele desapareceu por um bom tempo e, quando voltou, só pude presumir que tinha ido se masturbar, porque parecia calmo.

— Chega pra lá — ele pediu ao me envolver em seus braços.

Havia me dado o melhor orgasmo da minha vida e agora estava me abraçando. Eu diria que não dava para ser melhor do que isso.

— Senti falta disso — falei. — De dormir ao seu lado.

— Só dormiu uma vez e já sentiu falta? — ele perguntou às minhas costas.

— Toda noite desde então.

Rush beijou minhas costas delicadamente.

— Eu também, Gia.

Uma sensação muito calorosa me tomou. Me senti incrivelmente segura em seus braços, mais segura do que provavelmente já tinha me sentido a vida toda.

Ele passou os dedos para cima e para baixo no meu braço enquanto ficava deitado atrás de mim, de conchinha. Relaxada e satisfeita no momento, fechei os olhos para curtir a névoa pós-orgásmica que me dominou.

Nosso peito se movendo em uníssono, sua parte da frente para minhas costas, deve ter me ninado até dormir. Porque a próxima coisa que senti foi o calor do sol no meu rosto, me acordando, e encontrei uma cama vazia.

Me apoiei no batente da porta da cozinha. *Essa* era uma vista matinal com que eu poderia me acostumar.

Rush estava em pé diante do fogão, sem camisa e com o cabelo molhado, cozinhando algo que tinha um cheiro delicioso enquanto se balançava com a música. Achei estranho ser música country. Pensara que ele gostava mais de heavy metal ou algo assim.

— Vai ficar aí parada me encarando ou vai vir me dar um beijo de bom-dia? — Rush perguntou sem se virar.

— Como sabia que eu estava aqui parada?

Ele bateu os nós dos dedos na coifa de inox acima do fogão.

— Reflexo. Bela roupa, aliás.

Eu havia dormido de vestido e, quando vi a camisa que Rush usou no dia anterior no chão próxima da cama naquela manhã, resolvi vesti-la depois de ter me lavado em seu banheiro.

Fui até ele e abracei sua cintura.

— Bom dia.

Ele dobrou o pescoço para trás e encontrou minha cabeça inclinada para me beijar.

— Dormiu bem?

— Na verdade, bem demais. Nem me lembro da hora que dormi. Sua cama deve ser confortável mesmo.

Ele deu risada.

— É. Foi a cama, não minha boca na sua boceta que te apagou.

— Você é tão grosseiro.

Ele colocou os ovos em um prato assim que uma torrada ficou pronta na torradeira.

— Esqueci que preciso te subornar com uma bebida para conseguir te fazer falar palavras indecentes. — Ele deu uma piscadinha. — Vá se sentar. Vou fazer café para você e decidir o que quero ouvir para poder beber sua cafeína.

Nos sentamos juntos para tomar café da manhã, e não consegui evitar secar o corpo de Rush. Ele tinha uma estrutura esbelta, mas forte e musculosa. Seu peitoral era esculpido, o abdome, trincado com seis gomos – ou talvez fossem oito –, que, com certeza, eu queria contar os picos e os vales com minha língua em algum momento, e seus braços ficavam musculosos e protuberantes a cada vez que ele levava a caneca de café aos lábios. Nem vou começar a falar do seu caminho de pelo que corria do umbigo até a calça de moletom.

— O que está passando por essa cabeça maluquinha esta manhã? — Rush estivera me observando encará-lo.

— Só estou verificando a mercadoria.

Ele arqueou uma sobrancelha.

— O que foi? Você conseguiu me analisar antes de resolver me chamar para sair. Eu não consegui te analisar.

Suas sobrancelhas se uniram para baixo.

— Quando consegui te ver nua?

— No biquíni amarelo.

Ele deu um sorrisinho.

— Não estava exatamente nua. Apesar de eu ter visto uma parte da aréola e sua bunda inteira. Então chegou bem perto.

Não sei o que Rush tinha, mas ele me deixava ousada. Abri um sorriso malicioso.

— Bem, eu não iria querer que fosse injusto.

Imediatamente, ergui a camisa por cima da cabeça, jogando-a no chão. Havia deixado meu sutiã junto com o vestido no quarto, então só estava com uma calcinha preta de renda.

O garfo de Rush caiu no prato.

— Porra. — Ele engoliu em seco. — Você não está facilitando.

Inclinei a cabeça timidamente.

— Está dizendo que faço ficar *duro* para você?

Seus olhos estavam fixos nos meus seios. Na verdade, observei-os escurecerem em um tom mais profundo de verde.

— Você tem peitos lindos.

— Obrigada. — Bebi meu café, tentando agir casualmente.

— Quero fodê-los.

Engasguei com o café e cuspi no meu prato. Eu que tinha começado aquilo, mas Rush, com certeza, assumira o controle. De repente, minha boca ficou seca, e foi minha vez de engolir em seco.

— Você quer...

— Fodê-los.

— Humm. Certo.

Os olhos dele se desviaram para o meu pescoço, e ele apontou para ele.

— Adoro sua clavícula. É tão delicada e bonita. A pele em volta dela é muito perfeita e lisa.

— Obrigada.

— Vou gozar nele.

— Como?

— Em todo o seu pescoço. Depois de foder esses peitos lindos.

Me contorci na cadeira.

— E quando isso vai acontecer?

Os olhos dele se ergueram e travaram nos meus, brilhando com perversidade.

— Quando eu quiser.

Talvez devesse ter ficado chateada pelo fato de o cara com quem acabei de começar a sair ter me dito, no café da manhã, que planejava transar com meus seios e terminar no meu pescoço *quando ele quisesse*, mas, caramba... eu estava dentro.

Pulei quando Rush, de maneira abrupta, afastou sua cadeira da mesa. Foi até onde eu estava sentada e se inclinou para beijar minha boca.

— Vista a camisa de volta. Estou tentando ser bom. — Ele a pegou do chão e a estendeu para mim.

Fiz beicinho.

— Foder os peitos exige, no mínimo, mais um ou dois encontros.

Ele se virou e começou a sair da cozinha.

— Aonde vai? Não terminou seu café da manhã.

— Use sua imaginação, Gia. Com certeza, vou usar a minha.

Rush me levou para casa. Apesar de eu não estar pronta para me despedir dele ainda, realmente precisava escrever o dia inteiro antes de ir para o trabalho à noite. Ele parou na frente da minha casa em vez de estacionar.

— Você vai trabalhar esta noite, certo?

Assenti.

— Às seis.

— O que acha de fazermos alguma coisa amanhã?

— Vou trabalhar durante o brunch, começando às onze da manhã.

— Conheço o chefe. Tenho certeza de que ele vai te dar folga.

Sorri.

— Tá bom! O que quer fazer?

— Estava pensando em visitar minha mãe. Ela quer que eu conheça um babaca com quem está saindo, e você queria ver a arte dela, de qualquer forma.

Minhas sobrancelhas se uniram.

— Ela está saindo com um babaca? Como sabe se ainda não o conheceu?

Rush ficou impassível.

— Ele está saindo com minha mãe.

Dei risada.

— E automaticamente vira babaca só porque está saindo com sua mãe?

— Começa sendo babaca e precisa merecer uma reviravolta.

Me inclinei e dei um beijo em seus lábios.

— Você tem sorte de eu achar adorável esse seu lado protetor, porque algumas pessoas realmente pensariam que você é que é o babaca.

— Vá escrever, Shakespeare.

Esfreguei meu nariz de um lado para outro no dele.

— Talvez eu escreva uma cena em que o herói faça oral na heroína, já que tenho uma lembrança muito boa para me inspirar.

Rush gemeu.

— Saia do meu carro antes que eu precise tomar outro banho.

Dei risada e abri a porta do carro.

— Até mais tarde, chefe.

CAPÍTULO 16

Rush

Eu deveria ter me masturbado uma segunda vez naquela manhã.

Considerando que era a primeira vez na minha vida que estava, oficialmente, *saindo com alguém*, imaginei que eu não precisaria das minhas próprias mãos. Quem diria que *sair* com alguém significaria bater *inúmeras* punhetas por dia?

Olhei para Gia sentada no banco do passageiro. Ela estava com um macaquinho azul-royal de seda tomara que caia. Fazia suas pernas terem um quilômetro de pele macia. Eu queria gozar em tudo aquilo também.

Passei os dedos pelo meu cabelo. Que porra há de errado comigo quando se trata dessa garota? Ela é fofa e discreta, e quero ouvi-la falar sacanagem e sujá-la. Na noite anterior, tentei muito manter o profissionalismo no restaurante. No entanto, quando ela se inclinou para pegar a pilha de cardápios que caíram do depósito em frente à minha sala, não consegui me conter. Tranquei a porta e chupei aqueles peitos lindos até fazê-la dizer que mal poderia esperar para sentir meu pau deslizando entre eles. E agora, mesmo a caminho da casa da minha mãe, eu mal estava conseguindo me controlar.

Gia tirou suas sandálias e colocou os pés no painel.

— Então, a casa em que sua mãe mora é a mesma em que você cresceu?

— Sim. Ela mora lá há trinta e cinco anos.

— Isso significa que vou ver onde você dormia quando era adolescente?

— É.

— Aposto que você era atentado quando era adolescente. Levando meninas para seu quarto e tal. — Ela franziu o nariz. — Pensando bem... talvez não queira entrar nesse quarto.

— Imagine. Podemos fingir que temos catorze anos de novo, e vou passar a mão em você enquanto chupo seu rosto e pressiono um tubo endurecido no seu quadril.

Ela deu risada.

— Catorze? Foi quando começou a passar a mão nas meninas?

Pela reação dela, imaginei que era melhor não lhe contar que, na verdade, foi com doze.

— Por aí.

— Que jovem.

— Quantos anos você tinha quando começou a fazer essas coisas?

— Dezoito.

Meus olhos desviaram da estrada para ela para ver se estava brincando. Não estava.

— Dezoito é meio tarde para começar, não é?

Ela deu de ombros.

— Acho que sim.

— Os meninos devem ter te cercado quando era mais nova. Meu palpite é de que o início tardio não teve nada a ver com falta de oportunidade.

— Não. Davam bastante em cima de mim. Eu só...

Olhei de lado para ela.

— Você só o quê?

— Não sei. Pensando agora, acho que não queria decepcionar meu pai. Minha mãe tinha sido bastante irresponsável por ter me colocado no mundo e ido embora. Ele se dedicou demais para me criar. Só não queria decepcioná-lo.

Todas as garotas, e a maioria das mulheres com quem fiquei quando adulto, tinham o objetivo oposto na vida. Queriam irritar o pai. Sempre me mantive longe de filhinhas de papai, dizendo a mim mesmo que eram puritanas. Contudo, de repente, me perguntei se não tinha ficado distante delas porque pensava que não conseguiria atender aos padrões que elas tinham. Definitivamente, Gia tinha expectativas altas e isso me aterrorizava.

— Vi o jeito que seu pai te olha, o jeito que interagem, e acho que é impossível você decepcioná-lo.

Ela sorriu.

— Enfim, voltando à nossa conversa. Nunca nenhum garoto passou a mão em mim no próprio quarto. Mas deixei Robbie Kravit enfiar a mão debaixo da minha blusa na última fileira do cinema no último ano do Ensino Médio.

— É zoado eu ter vontade de socar Robbie agora mesmo?

Ela deu risada.

— Bem, agora sabe como me senti no mês passado... com as mulheres vestidas com minissaias de couro indo ao restaurante para fazer propostas a você.

Eu não tinha pensado nisso.

— Não convidei nenhuma delas.

Ela olhou para fora pela janela, ficou em silêncio por um minuto, depois disse:

— Posso te perguntar uma coisa?

— Geralmente, quando uma mulher *pergunta* se pode perguntar alguma coisa, não é algo que eu queira responder.

Ela riu.

— Ficou com alguma mulher desde que nos conhecemos?

— Não. — Quase fiquei na noite em que ela se meteu naquela briga. Mas, sinceramente, havia me obrigado a entrar em contato com outra mulher só para conseguir parar de pensar em Gia, e duvido um pouco de que teria feito algo se tivesse ido. — Queria ficar com alguém porque pensava que me impediria de ficar obcecado por você, mas nunca fiquei realmente.

Ela assentiu e não falou nada, o que me deixou paranoico pra caralho. *Será que ela tem algo a confessar?*

— Você ficou com alguém?

— Não. Só fiquei com uma única pessoa no último ano. E, como te contei, foi um grande erro. Me sentia solitária e caí na conversa do cara legal porque sentia falta de uma conexão com um homem. No entanto, depois que ele foi embora e deixou o número errado, percebi que sexo não satisfaz a conexão de que eu sentia falta.

Balancei a cabeça.

— Agora quero espancar o idiota que te enganou também. Por inúmeros motivos. Primeiro, por ter conseguido entrar em você e eu ainda não.

Gia pousou a mão na parte de cima da minha coxa, e quase desviei o carro.

— Podemos consertar isso, sabia? — ela disse. — Não sou eu que estou querendo ir devagar. Acabamos de passar pelo Holiday Inn na última saída.

Gemi.

— Você vai ser o meu fim, mulher.

— Oi! — Minha mãe abriu a porta da frente e engoliu Gia em um grande abraço antes de sequer olhar para mim. — Estou tão feliz por ter conseguido vir.

As duas começaram a se elogiar por tudo imediatamente.

— *Amei seu colar.*

— *Azul é a sua cor!*

— *Mudou seu cabelo?*

Revirei os olhos.

— Que porra eu sou? Não estou valendo nada?

Minha mãe fez beicinho com o lábio inferior.

— *Ownn.* Meu garotinho se sente negligenciado? Venha aqui. Dê um abraço na sua mamãe.

Bom, agora parece forçado. Mas não dava a mínima porque minha mãe é *do caralho.* Apertei-a forte, e foi incrível.

Quando ela se afastou, olhou entre mim e Gia com a expressão mais animada que eu já tinha visto, batendo palmas e mal conseguindo conter seu entusiasmo.

— Venham. Entrem.

A casa em que cresci era pequena, um típico lar no estilo Cape Cod, como muitas dos bairros de classe média em Long Island. Contudo, minha mãe mantinha a casa cheia de quadros e cores vibrantes, então, por algum motivo, sempre pareceu maior do que a casa da maioria dos meus amigos. A melhor coisa da herança do meu avô foi ter conseguido pagar a casa para ela há alguns anos.

— Uau. Amei esta casa. — Gia olhava em volta com os olhos arregalados.

— Sou meio que uma aprendiz de decoradora. Mudo as cores e os móveis de lugar o tempo todo. Quando Heathcliff era pequeno, ele ia para a escola de manhã e as paredes estavam bege e os sofás, vermelhos, e, quando ele voltava para casa, as paredes estavam azuis e eu tinha um grampeador na mão e estava trocando o estofamento dos sofás.

Gia deu um sorrisinho para mim.

— *Heathcliff*. Soa tão engraçado para mim, apesar de saber que é o nome dele.

— Tem gente da minha família que o chama de Heath. Mas nunca consegui chamá-lo assim.

— Esse nome não é em homenagem a alguém?

Minha mãe assentiu.

— Ao meu pai. Era um bom homem. Mas Heathcliff nunca teve a chance de conhecê-lo. Ele morreu quando eu estava grávida.

— Sinto muito.

— Obrigada. Na verdade, ele me lembra muito do meu pai. Durão, meio bruto, mas ferozmente leal e protetor.

Gia sorriu.

— Definitivamente, já vi esse lado protetor.

— Aposto que viu. Venha, deixe-me te mostrar meu estúdio antes que Jeff chegue para nos levar à galeria dele.

— Vão vocês duas — eu disse. — Encontro vocês lá em alguns minutos. Vou sair para fumar rapidinho.

As duas mulheres se viraram para mim e franziram o cenho ao mesmo tempo.

— Gostaria que parasse com isso, querido — minha mãe falou.

— Eu também — Gia aproveitou.

Olhei entre as duas e resmunguei:

— Exatamente do que preciso. De vocês duas no meu pé.

Jeff era totalmente diferente do que eu esperava.

Ele mais parecia um avô do que alguém com quem minha mãe deveria estar saindo. Embora, tecnicamente, minha mãe também tem idade suficiente para ser avó. Eu só nunca a enxergava assim porque ela não agia desse jeito e parecia muito jovem.

Jeff tinha cabelo grisalho, pele bronzeada com rugas profundas e usava mocassins. Nunca nem soube que ela namorava, muito menos tinha visto o cara, ainda assim, esperava que ele se parecesse mais com um roqueiro do que com um cara que se *senta* em uma maldita rocha.

— Você está estranhamente quieto.

Gia chegou perto de mim conforme eu fingia analisar um quadro na galeria de Jeff. Para mim, parecia um monte de tinta espalhada, mas a etiqueta dizia que valia sete mil.

Apontei para a tinta derramada.

— Pagaria sete mil por isso?

Ela deu risada.

— Nem tenho sete mil na minha conta bancária. Mas, se tivesse, não gastaria nisso.

— No que gastaria?

— Em setembro.

— Setembro?

Ela suspirou.

— É. A casa que alugamos custa vinte mil por mês nos meses de verão, mas cai para um terço disso em setembro. Acabei de perceber que só tenho mais seis semanas lá. — Nossos olhos se fixaram. — Ainda não estou pronta para isso acabar.

É. Se eu pudesse interferir, ela não iria embora. Eu cobria todos os meus gastos para aquele aluguel com a renda da primavera e do verão. Mas era cedo demais para pedir que ela ficasse e dizer que não cobraria o aluguel.

Ela me cutucou com o ombro.

— Então... o que achou do namorado da sua mãe?

— Acho que ele é velho pra caralho.

Ela deu risada.

— Melody falou que ele é só quatro anos mais velho do que ela.

— Parece ser quarenta anos mais velho.

— Quem se importa? Aparenta ser um cara legal, e parecem felizes juntos.

Olhei para o outro lado da galeria. Jeff e minha mãe estavam diante de um quadro, e ele estava lhe dizendo algo enquanto apontava para a arte. Ela jogou a cabeça para trás, rindo, e meu coração apertou.

— É, eles parecem felizes.

— Sabe... — Gia disse — ... pode ser que as pessoas nos olhem e pensem que formamos um casal estranho também. Você é todo tatuado e tem esse estilo sombrio e perigoso. Eu pareço uma Maria qualquer ao seu lado.

Meus olhos a analisaram de cima a baixo.

— Você, definitivamente, não é uma Maria qualquer. Talvez uma bibliotecária sexy com que os caras têm fantasia de transar entre pilhas de livros, mas não uma Maria qualquer, querida.

Ela se inclinou para mim.

— Não me importaria de *você* transar comigo no meio da pilha de livros. Na verdade, acho que seria bem excitante.

Meu pau se mexeu. *Calma, garoto.*

— Ah, é? Que tal no banheiro de uma galeria de arte enquanto minha mãe e o namorado estão na sala ao lado? Nada como conhecer a namorada do filho ouvindo-a gemer enquanto seu filho enfia o pau nela.

Gia me cutucou na costela com o cotovelo.

— Que grosseiro.

— Você adorou. Aposto que sua calcinha está molhada.

Ela me surpreendeu ficando na ponta dos pés, beijando minha bochecha e sussurrando no meu ouvido:

— *Está* molhada, sim. Mas não por ouvir você dizer que quer enfiar alguma coisa. Está molhada por se referir a mim como *sua namorada* sem nenhuma hesitação. Bem excitante.

Envolvi a cintura dela com um braço e a puxei rapidamente para mim.

— Ah, é?

Ela assentiu com um sorriso de orelha a orelha.

— Venha, namorada. Vamos levar este show daqui e jantar com minha mãe e o vovô para eu poder te levar de volta para casa e chegar aos finalmentes depois do nosso segundo encontro.

Ela arqueou uma sobrancelha.

— Finalmentes? O que são os finalmentes se pensa que fazer oral em mim não é?

— Como está indo o livro, Gia? — minha mãe perguntou durante o jantar.

— Um pouco melhor agora. A cada dia, as palavras vêm um pouco mais rapidamente, e os personagens realmente estão adquirindo mais personalidade.

— Isso é ótimo. Normalmente, acho mais difícil começar um quadro, mas, assim que começo, entro no clima e termino bem rápido.

— Espero que esse seja o meu caso. Meu prazo está perto.

Minha mãe apontou para mim.

— Meu filho, por outro lado, consegue começar um quadro mais rápido do que qualquer um que já conheci. Mas nunca termina nenhum deles.

A cabeça de Gia se virou para mim.

— Você pinta?

Dei de ombros.

— Costumava. Não pinto há anos. Mas descobri que era melhor terminando uma arte na pele de uma pessoa do que em uma tela.

— Não sei por que nunca somei dois mais dois. Sua mãe é uma artista e você costumava tatuar. Claro que deve ser um pintor talentoso. Você tem seus quadros antigos?

— Em um armário em algum lugar.

— Eu adoraria vê-los.

Minha mãe olhou entre nós.

— Humm. A arte de Rush é meio diferente da minha.

— Diferente como?

Olhei para minha mãe.

— Não pinto paisagens.

— Certo. Agora estou curiosa.

— Jeff também pinta — minha mãe contou.

— Não mais — Jeff negou. — Comprei a galeria há quinze anos como minha aposentadoria da pintura. Mas, de vez em quando, ainda fico inspirado e me sento em frente à velha tela. Apesar de que, ultimamente, estou meio enferrujado.

— Jeff está sendo modesto. — Minha mãe suspirou. Algo que só a tinha visto fazer quando falava de mim. — Ele é um pintor incrível. Um dos seus quadros estava em exibição na galeria hoje.

— Qual? — perguntei.

— Chama-se Respingos de Tinta.

Meus olhos saltaram para os de Gia, e nós dois levamos a bebida à boca na tentativa de esconder o sorriso.

Após o jantar e um café, que foi bem menos doloroso de compartilhar com o cara que minha mãe está namorando do que pensei que seria, fomos para o estacionamento. Minha mãe e Gia ficaram conversando por uns minutos, e minha mãe prometeu que iria para minha casa até o fim do verão para um fim de semana prolongado.

Jeff me olhou no olho e deu um firme aperto de mão.

— Sua mãe é uma mulher especial. Sua opinião significa demais para ela. Eu gostaria de te conhecer melhor. Talvez possamos jogar uma partida de golfe em um fim de semana.

— Claro. Mas não sou muito bom em golfe. Basicamente, bato na bola o mais forte que consigo para tentar atingir a maior distância.

Jeff sorriu.

— Que bom. Também sou péssimo. Fica a uma hora de carro daqui. Quem precisar percorrer a maior distância não precisa pagar a cerveja depois?

— Aí, sim. — Talvez o vovô não fosse tão ruim, afinal de contas.

O caminho para casa pareceu durar uma eternidade porque eu mal podia esperar para colocar as mãos em Gia. Ainda achava que não iríamos chegar aos finalmentes, mas de jeito nenhum iríamos terminar a noite sem brincar um pouquinho, pelo menos.

Saí da via expressa e entrei no nosso bairro.

— Precisa de alguma coisa da sua casa?

Seus lábios deslizaram em um sorrisinho lindo.

— É um pouco presunçoso da sua parte, não é? Está presumindo que vou para casa com você e que vou passar a noite?

— Pode apostar sua bunda que estou. Tenho sido um perfeito cavalheiro a noite toda. Essa merda fica na porta quando entrarmos na minha casa. Vou fazer coisas indecentes com seu corpo, e você vai adorar.

Ela engoliu em seco.

— Jesus, Rush.

— Prefiro ser chamado de Deus, tipo em "Oh, Deus. Oh, Deus".

— Você é tão idiota.

— Verdade. Mas precisa de alguma coisa da sua casa? Porque tenho que virar à esquerda no semáforo se precisar.

— Não. Está tranquilo.

Olhei de lado para ela.

— Nenhum comprimido nem nada?

— Comprimido? — Ela ficou confusa com o que eu quis dizer, mas, então, entendeu. — Oh! Não. Não tomo pílula mais. Parei de tomar há mais de um ano, já que eu não estava... sabe, ativa. Mas acho que é melhor voltar a tomar.

Outro motivo para ir devagar. A última coisa de que eu precisava era foder a vida dessa mulher engravidando-a bem quando ela só estava começando. E eu tinha quase certeza de que, quando finalmente estivesse dentro dela, iria gozar tanto que encheria uma camisinha e essa merda derramaria por toda ela.

— Se não se importar de tomar, seria mais seguro assim.

— Não me importo, não. Além do mais, aí poderemos...

— Foder sem capa?

Ela ruborizou.

— Eu ia dizer fazer amor sem precisar parar e colocar camisinha. Mas é.

Meu pau ficou inchado ao pensar em entrar nela sem nada. Pisei no acelerador a fim de chegar logo em casa e praticamente entrei correndo com ela pela porta da frente. Jogando minhas chaves na mesa lá dentro, eu disse:

— Fique à vontade. Preciso tomar um banho rápido.

Ela pegou minha mão antes de eu sair correndo.

— Quer companhia?

Gemi.

— Você vai me matar.

CAPÍTULO 17

Gia

Meus nervos começaram a ficar à flor da pele quando ouvi a água do chuveiro parar. Eu tinha arrancado toda a minha roupa, passado óleo nos meus seios e me posicionado no canto da cama enquanto aguardava Rush. Seria minha primeira experiência de ter um homem deslizando nos meus peitos, e eu não tinha muita certeza de que posição funcionaria melhor. Algo me dizia que Rush sabia exatamente como gostaria de fazer, já que parecia ter fantasiado sobre fazer isso comigo.

Ele saiu do banheiro com uma toalha enrolada na cintura e olhando para baixo ao usar outra toalha para secar o cabelo. Congelou quando olhou para cima e me viu. O fogo em seus olhos apagou o nervosismo que eu sentia. Rush tinha um jeito de me fazer sentir linda e desejada, sem falar uma única palavra.

Me ergui e segurei meus seios, juntando-os.

— Peguei emprestado um pouco do óleo que encontrei na sua mesa de cabeceira.

Ele ficou me encarando por muito tempo. Tive a sensação de que estava tentando se controlar. Meus olhos baixaram para a protuberância crescendo detrás da toalha. *Definitivamente* não estava funcionando. Inconscientemente, lambi os lábios e, quando olhei para cima, vi que ele estava me observando.

Quase parei de respirar quando ele segurou o nó da toalha e ela caiu no chão.

Jesus.

Era comprido.

Era grosso.

E estava gloriosamente duro.

O ar no quarto crepitou conforme nos encaramos.

Sua voz estava grave.

— Vá para o centro da cama. Deite-se de costas.

Quando me ajeitei, ele foi até a beirada da cama e olhou para mim ao segurar seu pau.

— Acabei de gozar muito no chuveiro imaginando isso.

Meu corpo inteiro estava pegando fogo. Eu estava mais excitada só de pensar no que estava prestes a acontecer do que já estive durante qualquer ato sexual. Rush ergueu um joelho para subir na cama e montou em mim. Apertei meus seios unidos, oferecendo-os. Fixando nossos olhos, ele baixou o quadril e guiou seu pau para entre os meus seios.

Seus olhos se fecharam conforme ele se equilibrava por alguns segundos. Então começou a bombear veloz e furiosamente. Eu apertava o mais forte que conseguia enquanto ele deslizava seu comprimento grosso para a frente e para trás, repetidamente.

— *Caralho. Caralho.* Seus peitos são muito bons. Vou gozar em você inteira. A pele sedosa do seu pescoço... sua linda clavícula. Quero pintar seu corpo todo com o meu gozo... marcar como minha.

Engoli em seco. *Jesus Cristo.* Adorava o jeito que ele parecia ser tão possessivo comigo, como se não conseguisse se conter e quisesse dominar meu corpo de uma forma quase animalesca.

Ele abriu os olhos e olhou para baixo.

— *Caralho...* linda demais. Muito, muito perfeita.

Ver seu orgasmo se desenrolar foi uma das coisas mais magníficas que já testemunhei. A tensão em seu rosto se esvaiu conforme os músculos do seu abdome enrijeceram. Gemendo meu nome de forma tão sexy que deixou meu próprio corpo perto de se aliviar, ele gozou — exatamente como dissera que queria — por todo o meu pescoço.

A proteção de Rush se estendia ao depois também. Me limpou com uma toalha morna e, então, retornou o favor ao me fazer oral de novo. No entanto, diferente da última vez, não dormi de exaustão logo depois. Enquanto Rush havia caído no sono, eu permaneci acordada. Meus pensamentos vagueavam de obcecada por ter meu coração partido a fantasiar sobre como seria o sexo de verdade com ele. Este último me levou a pensar na nossa conversa mais cedo e no meu ciclo menstrual, em quando poderia voltar a tomar pílula.

Não era para já vir?

Será que atrapalharia se ele quisesse transar naquela semana? Foi nesse momento, no meio da noite, deitada na cama de Rush, que percebi que não me lembrava da última vez que tivera um ciclo normal. No mês anterior, foi bem leve e desregulado, mas ainda presumi que fosse minha menstruação.

E agora estou atrasada.

Mas quanto atrasada?

O pânico se instalou.

Não poderia ser muito mais do que um mês.

Será que poderia?

De repente, *realmente* entrei em pânico. Normalmente, marcava o primeiro dia do ciclo no calendário do meu celular. *Eu precisava saber*. Precisava verificar meu celular agora mesmo e ver quando foi a última vez que eu tinha marcado.

Rush ainda estava desmaiado quando tirei seu braço de mim e passei por ele, indo até minha bolsa no chão.

Pegando meu celular, fui direto para o calendário. Deslizei o dedo para passar os dias e verificar a última vez que tinha anotado sobre minha menstruação.

Passando pelo último mês e percebendo que não havia nenhuma anotação, comecei a sentir meu coração batendo mais rápido. Só quando meu dedo parou na data da última anotação foi que comecei a surtar de verdade. A última vez que menstruei normalmente foi há mais de *dois meses*.

Não teria sido tão preocupante se eu não tivesse transado com um homem antes desse período — meu ficante de uma noite só do The Heights.

Na manhã seguinte, me esforcei ao máximo para permanecer calma pelo restante do tempo com Rush. Não fazia sentido surtar ou tirar conclusões precipitadas sem uma resposta concreta.

Rush me levou para minha casa e me deixou sozinha, teoricamente, para escrever.

Mas não havia como escrever. Devo ter encarado a parede do meu quarto por muitas horas.

Meus olhos observavam o quadro de pôr do sol que a mãe de Rush tinha me dado. Era uma imagem que já tinha me trazido tanta alegria, porém agora me fazia sentir pura tristeza, um lembrete de todas as coisas que eu poderia perder — uma vida inteira de possibilidades que poderia nunca existir.

Iria ver Rush de novo naquela noite e não sabia como iria encará-lo a menos que soubesse com certeza. Ainda assim, simplesmente não conseguia me fazer ir à farmácia e comprar um teste de gravidez.

Como eu tinha me colocado em uma posição em que houvesse sequer uma possibilidade remota? Tinha me esforçado ao máximo a vida inteira para tomar decisões corretas. Aquela noite com Harlan foi uma das poucas vezes em que eu tinha realmente estragado tudo. Quero dizer, nem sabia seu sobrenome ou se seu nome era mesmo Harlan. Não conseguiria entrar em contato com ele nem se eu quisesse. Estava me sentindo vulnerável e deprimida quanto à minha carreira quando o conheci, e ele havia fornecido uma distração, me encantado até as calças — literalmente. Mas foi um erro tremendo. E pensar que aquele único erro de julgamento poderia significar meu fim com uma vida inteira de responsabilidade era incomensurável.

Mal conseguia cuidar de mim mesma; não estava pronta para ser mãe solo.

Partiria o coração do meu pai.

E essa situação, com certeza, seria o fim para Rush e mim. Ele já era hesitante em se envolver em um relacionamento, que dirá se envolver com uma mulher carregando o filho de outro homem — um homem que tinha desaparecido.

Colocando a cabeça nas mãos, pensei de novo na noite anterior, no quanto foi maravilhoso ficar com Rush. Estava me apaixonando perdidamente por ele. Sabia que ele estava indo fisicamente mais devagar comigo do que costumava.

E isso tornava meu desejo por ele ainda mais forte. Eu o queria tanto de todos os jeitos. Agora talvez não chegasse a tê-lo de nenhuma forma. A menos que o resultado fosse negativo, eu poderia nunca saber como seria *realmente* ficar com Rush.

Eu precisava saber.

Estava bem preocupada que tivesse um infarto se desse positivo. Sem saber se conseguiria suportar fazer o teste sozinha, pensei se poderia confiar esse segredo a Riley.

Se ela estivesse no quarto, eu lhe contaria. Se não estivesse, seria meu sinal do céu para guardar isso para mim mesma.

Riley estava sentada em frente à sua penteadeira, enrolando o cabelo, quando a interrompi.

Imediatamente, ela viu pela minha expressão que havia algo errado conforme parei em sua porta.

Ela colocou o babyliss na penteadeira.

— Aconteceu alguma coisa?

Meu tom foi firme.

— Riley, precisa me prometer que não dirá nada a ninguém.

— O que... Rush fez alguma coisa?

— Não, não. Rush é... maravilhoso. Não tem nada a ver com ele. — Sentando-me na sua cama, fui direto ao ponto. — Lembra do cara com quem dormi uma vez que conheci no The Heights?

— O que te deu o número errado. Sim.

— Então, estou com medo de que ele tenha me deixado com mais do que apenas um número errado.

Ela arregalou os olhos.

— Você está doente?

Balancei a cabeça.

— Não. Pelo menos, espero que não.

— Então o que foi?

— Minha menstruação foi irregular no mês passado, e agora estou atrasada.

Ela cobriu a boca.

— Ah, meu Deus.

Minha voz estava tremendo.

— Estou assustada, Riley. Assustada de verdade.

— Rush sabe?

— Claro que não. Nem consigo imaginar como ele reagiria. Isso o cegaria por completo. Realmente chegamos perto, ao ponto de eu pensar que... — Não conseguia dizer as palavras, apesar de senti-las no fundo do meu coração.

Ela leu minha mente.

— Que está se apaixonando por ele.

Sim.

Lágrimas começaram a escorrer por minhas bochechas enquanto assentia em silêncio. Estava totalmente descontrolada agora.

— Venha aqui. — Riley foi até a cama e me abraçou.

— Tenho que descobrir, mas estou com medo.

Ela inspirou fundo e, então, expirou lentamente.

— Ok, é o seguinte. Você fica aqui. Tente não entrar em pânico. Eu vou à farmácia para comprar um teste. Ironicamente, tenho que ir comprar camisinhas para o meu encontro desta noite.

Funguei.

— Tá bom.

— Será interessante quando a pessoa do caixa me atender para comprar camisinhas *e* um teste de gravidez. — Ela sorriu.

— Encarar a embalagem não vai fazer essa situação desaparecer. Só há um jeito de saber — ela disse.

— Eu sei.

Me obrigando a levantar da cama, entrei no banheiro e, entorpecida, abri a caixa, segui as instruções e fiz xixi no pauzinho.

Com o coração acelerado, voltei para o quarto onde Riley estava esperando e expirei.

Me sentei na cama e ela se juntou a mim.

Riley esfregou minhas costas.

— Só respire, Gia.

— Cinco minutos. — Suspirei.

Meu celular tocou, quase me matando de susto porque meus nervos estavam bem sensíveis.

Quando o peguei, vi que era uma mensagem de Rush.

Rush: Lembra daquele banho que queria tomar comigo ontem à noite... mas não deixei? É, acho que vai ter que ser esta noite. Não consigo parar de pensar em ensaboar esses peitos deliciosos, mas não antes de deslizar entre eles de novo. Tudo bem com você?

Normalmente, essa mensagem teria me deixado bastante empolgada para aquela noite. Entretanto, uma dor inimaginável me preencheu. Já sentia que o havia perdido de alguma forma. Era difícil imaginar não mais ter Rush por perto. Ele havia consumido cada parte da minha vida desde que o conheci.

Acho que é melhor eu responder.

Gia: Já estou com saudade.

Ele não fazia ideia de que havia um significado mais profundo nessa declaração. Eu já estava com saudade do que sabia que poderia perder em questão de minutos.

Já tinha passado da hora de olhar o teste agora. O resultado estaria lá. Só não conseguia me forçar a voltar ao banheiro.

— Quer que eu veja? — ela perguntou.

Engolindo em seco de maneira nervosa, esfreguei as mãos nas coxas.

— Sim. Por favor.

Riley atravessou o corredor e entrou no banheiro. Pareceram os trinta segundos mais longos da minha vida.

Quando ela voltou, seu rosto estava vermelho. Ela parecia inchada.

Nem precisou dizer nada.

Eu sabia.

Meu celular apitou.

Rush: Você acabou comigo, Gia. Estou louco por você.

Suas palavras foram como uma faca no coração e não poderiam ter vindo em um momento pior.

Me sentindo adormecida, fechei os olhos, e Riley me puxou de lado para um abraço. Deitando a cabeça em seu ombro, eu sabia que iria ter que contar a ele. Mas precisava só de mais uma noite.

Mais uma noite em que éramos apenas Rush e eu.

Mais uma noite antes de perdê-lo inevitavelmente.

CAPÍTULO 18

Rush

Gia insistiu em ficarmos em casa naquela noite. Falou que não estava se sentindo bem e que só queria ficar comigo.

Eu não discutiria por isso. Após um longo dia indo a diferentes propriedades e conversando sobre elas com o empreiteiro, eu só queria relaxar com minha garota.

Uau.

Minha garota.

Porra. Acabei de pensar isso?

Sim.

Gia era *minha* garota.

O que estava acontecendo comigo que eu realmente *adorava* a ideia de estar amarrado? Enrolado. Que seja. O fato é que nunca quis estar comprometido até ela aparecer e me ensinar que havia uma primeira vez para tudo.

Caramba.

Não conseguia me lembrar da última vez que tive uma namorada. Provavelmente, foi no Ensino Médio, mas, mesmo nessa época, meus relacionamentos eram curtos. Costumava pensar que não queria. Contudo, agora, percebo que era só porque a pessoa certa não tinha aparecido.

Gia havia insistido em ir dirigindo para minha casa. Por mim, não tinha problema, porque me dava mais tempo para fazer algo para comermos. Assados não eram meu forte, mas eu grelhava comida como ninguém. Marinei uns vegetais e carnes, coloquei tudo em espetos e os pus na grelha. Fiz arroz à grega na panela de arroz e coloquei pão de alho no forno. Mais cedo, havia ido ao mercado e comprado o Moscatel preferido de Gia. Isso, definitivamente, elevava meu *status* de pau mandado.

Quando ela bateu à porta, coloquei a cerveja na mesa e fui abrir para ela.

Seus ombros estavam subindo e descendo enquanto ela esperava na porta. Aparentava estar ansiosa. Estava com um vestido vermelho sem alças, e sua pele ruborizada parecia que estava tentando competir com a cor de sua roupa.

Gia ergueu a mão.

— Oi.

Puxei-a para um abraço, depois a peguei no colo conforme ela envolveu as pernas em mim. Beijei-a muito intensamente, sugando todo o gloss transparente de seus lábios.

Quando a coloquei no chão, não pude deixar de notar o quanto seus peitos eram lindos.

Eles pareciam enormes, como se quisessem saltar do vestido.

— Fiquei com saudade de você hoje — eu disse.

Pau. Mandado.

— Também fiquei com saudade.

Quando, finalmente, tirei os olhos dos seus seios e olhei para o seu rosto, vi que seus olhos pareciam marejados.

Minhas sobrancelhas se uniram.

— Você está... chorando?

Ela fungou.

— Não sei o que há de errado comigo. Só fiquei emotiva de repente. Desculpe. Acontece comigo às vezes. É aleatório. Estou bem. — Ela secou os olhos. — Estou bem feliz, na verdade. Juro.

Não sabia o que pensar disso. Só sabia que precisava provar seus lábios de novo. Acariciando sua bochecha, trouxe sua boca para a minha.

Gia inspirou fundo.

— Alguma coisa está com um cheiro delicioso.

— Fiz um jantar para nós. Pensei que estava na hora de você provar minha carne. — Dei uma piscadinha.

Quando ela não reagiu a isso com uma risada – na verdade, nem sequer reagiu –, eu sabia que alguma coisa ainda a estava preocupando. Não era típico de Gia não retrucar.

Colocando a mão em sua cintura e aproximando-a mais de mim, insisti:

— Tem certeza de que está bem?

— Tenho. — Ela sorriu.

Acabamos jantando no deque. Devoramos os espetos de carne com cogumelos, pimentões, cebola e abobrinha. Gia falou que não estava a fim de vinho, o que era esquisito. Então tentei fazer outra coisa para ela. Nem mesmo tentar fazê-la dizer uma palavra indecente para ganhar um Cosmo funcionou.

Assistimos ao sol se pondo enquanto eu bebia vinho e ela, água. Ficar relaxando no deque desse jeito estava se tornando nossa tradição.

Após o jantar, Gia se sentou entre minhas pernas e ficamos olhando para o oceano escuro.

Seu cabelo estava esvoaçando com a brisa quando, de repente, ela disse:

— Quero saber tudo sobre você, Rush. Não quero perder nada que há para saber.

— Temos bastante tempo para isso, não temos?

Ela se virou momentaneamente.

— Ninguém nunca sabe quanto tempo resta.

Apertei-a.

— Ok, srta. Mórbida. O que quer saber? Vou te contar. Qualquer coisa. Mande.

— Qual é sua cor preferida?

— Preto.

— Nenhuma surpresa nisso. Combina com você. — Ela deu risada. — Hum... onde se vê daqui a dez anos?

— É meio longe...

— Eu sei. Só estou perguntando o que vem à minha mente.

Pensei em sua pergunta e respondi:

— Sinceramente, não sei, Gia. Sei que a típica resposta que a maioria das pessoas dá é... estar casado, com filhos e um cachorro ou alguma merda assim. Mas não sou a maioria das pessoas. Nunca enxerguei minha vida assim. Mas, ultimamente, estou percebendo que o que eu pensava que queria e o que realmente quero podem ser diferentes. Não tenho uma ideia clara de como será daqui a dez anos, nem sequer amanhã — falei contra sua nuca. — Espero que você descubra isso comigo.

Ela se virou e me respondeu silenciosamente com um beijo. Então soltou:

— Com quantas mulheres já esteve?

Eu deveria ter adivinhado que perguntaria isso em algum momento.

— Por que quer saber disso?

— Acho que é curiosidade mórbida.

Suspirei.

— Para ser sincero, não sei. Nunca contei. — Queria lhe responder alguma coisa, então dei uma estimativa. — Se tivesse que dar um palpite? Talvez cinquenta.

— Uau. Ok.

— Uau? — imitei. — Me diga o que está pensando.

— Sinceramente, não sabia o que esperar. Pensei que talvez pudesse ser ainda mais do que isso.

Não sabia se realmente queria saber a resposta, mas perguntei mesmo assim.

— Com quantos homens você já dormiu?

— Cinco — ela respondeu sem hesitar.

De repente, eu queria matar cinco homens que nunca tinha conhecido.

— Não é tão ruim — comentei.

— É a realidade, certo?

— É — respondi, ainda meio ciumento, o que era zoado.

Gia hesitou antes de continuar.

— Já se apaixonou?

Ela, definitivamente, estava me fazendo as grandes perguntas esta noite.

Houve apenas um relacionamento na minha vida que já chegou perto disso. Já que parecia que estávamos sendo abertos naquele momento, resolvi lhe contar uma história.

— O mais próximo que cheguei disso foi com uma garota chamada Beth. Era minha melhor amiga quando éramos crianças. O pai dela, na verdade, era o mais próximo que eu tinha de um pai. Seu nome era Pat. Ele era superlegal e eu costumava pedir conselhos a ele sobre... sabe, coisas de homem. Barba e tal. Enfim, eles moravam a apenas algumas casas da gente.

— Como ela era?

— Ela tinha cabelo castanho, mas não tão escuro como o seu. Era bonita. Na verdade, às vezes, usava óculos como você. Éramos próximos. Mas nunca a enxerguei de maneira sexual... até termos uns dezessete anos.

Ela engoliu em seco.

— O que aconteceu?

— Queria saber qual foi o momento da reviravolta. Acho que foram apenas os hormônios adolescentes cumprindo sua função. Realmente nunca pensei que fosse acontecer algo assim com ela. Nunca quis chegar a esse ponto. Enfim, certa noite... aconteceu... acabamos transando, e isso deixou nosso relacionamento tenso de verdade.

Gia suspirou.

— Uau.

— Não estava nada preparado para uma coisa séria. Ela quis mais depois disso, e eu simplesmente não conseguia me comprometer com nada tão jovem. Mas gostava bastante dela. E sempre me arrependi de magoá-la. Éramos crianças. E ela era praticamente da família. Nunca mais foi a mesma coisa depois que isso aconteceu.

— Onde ela está hoje?

— Após nos formarmos no Ensino Médio, o pai dela acabou arranjando um emprego no Arizona. Quando seus pais e seu irmão se mudaram para lá, ela os seguiu, embora tivesse idade suficiente para ficar aqui, se quisesse mesmo. Acho que, se eu tivesse implorado para ela ficar, ela teria aceitado. No entanto, como falei, eu não estava pronto para isso. Então, ela se mudou.

— Ainda fala com ela?

— Mantivemos contato. Na verdade, agora ela está casada e tem um filho. Então, tudo saiu do jeito que era para ser.

— Aposto que ela ainda tem fantasias com você. — Ela sorriu.

Puxei-a para mim.

— Ah, é? Por que acha isso?

— Porque não consigo imaginar transar com você e ter que voltar a ser apenas amiga.

— Bom, você não vai precisar se preocupar com isso. Não tenho interesse em ser *apenas* seu amigo de novo. Minhas intenções são totalmente impuras quando se trata de você, e não prevejo que isso vá mudar algum dia.

Dei risada.

Ela passou os dedos pelo meu cabelo, então fez outra pergunta, uma que me deixou meio confuso.

— Acredita em Deus?

Meus sentimentos quanto a isso eram complexos. Fiz o meu melhor para dar uma explicação de como eu enxergava as coisas quando se tratava de espiritualidade.

— Sim. Acredito. Bom, pelo menos acredito que exista algo poderoso que olha por nós. Mas a única coisa que tenho certeza é de que não é para sabermos de tudo. Qualquer um que diz que entende exatamente como esse universo complexo funciona é um puta de um mentiroso. Ou acreditam no que querem acreditar. Todos nós só precisamos dar o nosso melhor com o conhecimento que temos em mãos e termos um pouco de fé. Recebemos sinais todos os dias que nos dizem se estamos no caminho certo. As pessoas e as oportunidades são colocadas diante de nós. Sabe aquela sensação que você tem quando algo parece certo na vida? Como se todas as estrelas finalmente tivessem se alinhado? Aquela confiança que você sente de que o universo te enviou exatamente o que você precisa... mesmo que não soubesse que precisava?

— Sei.

— Bem, para mim, isso é Deus.

Ela ficou quieta, absorvendo minha resposta. Por algum motivo, já que estávamos nos abrindo, tive vontade de compartilhar algo com ela que não havia compartilhado com ninguém, exceto minha mãe.

Cutuquei-a.

— Posso te mostrar uma coisa?

— Pode.

Com nossas mãos unidas, levei-a para um quarto extra no fundo da casa. Era onde eu guardava minha arte junto com todo o meu equipamento de tatuagem do qual nunca me desfiz. Ainda me arriscava a desenhar, principalmente se me indicassem, e para amigos que quisessem uma nova tatuagem.

Ela andou pelo quarto, olhando para as pinturas na parede.

— Eu que fiz.

— Isso... é seu?

Assenti.

Não que eu tivesse vergonha do que criara, mas não era o tipo de imagens que se ostentava na sala de estar. Desde que eu era adolescente, tinha uma obsessão por pintar mulheres lindas... mas não simplesmente quaisquer mulheres – mulheres sexy e sensuais com asas. Não sei se poderia considerá-las anjos ou fadas. Mas todas tinham algumas coisas em comum, como cabelo comprido, corpos sensuais e sexy, olhos marcantes – e asas. Algumas estavam nuas. Outras, vestidas. Eu conseguia entender totalmente se a mulher mediana achasse essas imagens bizarras, mas desconfiava que Gia não fosse pensar assim. Sabia que ela tinha a mente aberta e encontraria valor artístico nelas.

— Nem sei por que estou te mostrando — confessei. — Você pareceu tão interessada na arte da minha mãe. Obviamente, isso é bem diferente de... pôr do sol.

— É mesmo. São absolutamente esplêndidas... de tirar o fôlego. — Ela parou em frente a uma das imagens mais escuras, uma garota com aparência demoníaca com asas pretas e chifres. — O que fez você decidir começar a pintar assim?

Dei de ombros.

— Queria saber também. Apenas as acho lindas e misteriosas. Mas não crio nada há alguns anos, na verdade. Essas são todas bem antigas. E você vai perceber que cada uma está ligeiramente inacabada. É como se eu parasse e quisesse deixá-la perfeita, mas então seguisse para a próxima, frustrado.

Ela sorriu.

— Quase fiquei com ciúme delas. É o quanto elas são lindas. É estranho?

Bom, diria que isso é um elogio.

Dei risada.

— Elas não se comparam a você. São fantasia. Todas as coisas que as tornam lindas... a força que parecem transmitir... tudo isso é trazido à vida quando olho para você, quando estou com você.

Parecia que Gia estava tentando conter as lágrimas de novo. Será que foi algo que falei?

Ela foi até onde eu guardava meus equipamentos de tatuagem.

— Ah, meu Deus. É aqui que você tatua as pessoas?

— Aluguei um espaço em uma loja quando trabalhava tatuando. Mas trouxe todas as minhas coisas comigo. Então tenho um pequeno estúdio aqui.

No canto do quarto, eu tinha uma mesa com várias peças de equipamento: uma autoclave, conjuntos de agulhas e vários recipientes selados para manter tudo estéril.

— Posso te perguntar uma coisa?

— Manda.

— Faria qualquer coisa por mim? — Ela se esticou e envolveu meu pescoço com os braços.

Inclinando-me, beijei seus lábios.

— É, praticamente certeza. A menos que dissesse que queria que eu deixasse você transar com outro cara enquanto eu assisto. Esse é um limite rígido. Não compartilho.

— Bom, então este pedido vai parecer nada comparado a isso.

— O que é?

— Pode desenhar uma coisa pequena no meu corpo esta noite? Quero que escolha onde vai fazer e o quê. Não uma tatuagem permanente nem nada... apenas sua arte no meu corpo. Quero algo criado por você só para mim.

Soltei a respiração. Ela sabia o que eu pensava de realmente tatuá-la, que me recusava a fazê-lo. Ela já tinha me pedido, e eu tinha falado não. Não que eu não quisesse colocar minha marca nela. Só não queria que ela se arrependesse de alterar seu corpo perfeito se não tivesse absoluta certeza. Então isso parecia inofensivo.

— Quer mesmo que eu desenhe algo na sua pele?

— Quero muito. Sim... por favor.

A urgência em seu pedido foi esquisita, mas, ao mesmo tempo, a perspectiva de marcá-la — mesmo que temporariamente — com algo da minha escolha me empolgava.

— Você é um pé no saco — zombei.

Seu rosto se iluminou quando ela percebeu que eu iria lhe dar o que queria.

— Obrigada! — Ela sorriu.

— Vá deitar na mesa, mas, primeiro, tire suas roupas. Tire tudo.

Ela obedeceu e foi até a mesa que eu tinha arrumado.

Estava totalmente nua.

— Como me quer?

— Há tantos jeitos que eu poderia responder a essa pergunta... — Meu pau enrijeceu por completo quando respondi: — Deite-se de bruços primeiro.

Gia fez como falei e, de repente, eu estava encarando sua bunda linda para cima. Beijei suavemente suas costas, descendo devagar.

Eu sabia exatamente onde queria deixar minha marca nela, mas estava excitado demais para sequer começar. Precisava fazê-la gozar primeiro.

Levando meu dedo à boca, lambi antes de deslizá-lo por entre as pernas dela e para dentro de sua boceta. Ela se encolheu com o contato. Adicionei meu dedo indicador e me aprofundei mais. Com o polegar firmemente posicionado em sua bunda, movimentei meus dois dedos para dentro e para fora conforme ela se contorcia sob minha mão. Estava muito tentado a substituir meus dedos pelo meu pau. Contudo, antes de sequer realmente pensar nisso, suas mãos agarraram a mesa conforme ela movimentou a bunda em sincronia com o movimento dos meus dedos. Então consegui senti-la pulsando em volta da minha mão conforme gozou.

Era uma visão linda ela arfando com o rosto virado para a mesa.

Quando ela relaxou do orgasmo, passei minha mão calosa pela pele macia da sua bunda.

— Pronta?

Sem fôlego, ela se virou de costas para a mesa, com os peitos lindos balançando.

— Espero que não dê orgasmos a todas as suas clientes antes de trabalhar nelas.

— Só a você, querida. — Me inclinei uma última vez para pegar seu mamilo com a boca. Eu estava duro pra caralho, mas tinha lhe prometido um desenho. — Vire de bruços de novo.

Eu sabia exatamente qual desenho queria para ela e comecei a desenhar em sua lombar logo acima da fenda de sua bunda. Fazia bastante tempo, porém não me sentia nada enferrujado. Usei uma caneta roxa, exatamente a cor que escolheria se fosse uma tatuagem permanente.

Demorei uns dez minutos.

— Pronta para ver?

— Ah, meu deus. Sim.

Ajudei Gia a descer da mesa, e ela andou com seu corpo nu maravilhoso até um espelho na parede. Ela virou a cabeça para ver o que eu tinha desenhado.

Seus olhos focaram no pequeno par de asas em sua lombar.

— Você me deu asas. — Sua boca se abriu em um sorriso enorme. — Agora, sou uma de suas garotas.

Puxei-a para mim.

— Não. Você é *a* garota. Não preciso mais imaginar nada.

De alguma forma, consegui não perder o controle conforme ela dormiu na minha cama naquela noite.

Brincamos, mas não transamos. Porém, eu sabia, sem sombra de dúvida, que não conseguiria mais esperar. Se ela aceitasse, na próxima noite que ficássemos juntos, eu iria pegá-la. Precisava estar dentro dela.

O carro de Gia não quis ligar quando ela tentou ir embora na manhã seguinte. Não podia acreditar; aquele merdinha tinha estragado de novo depois de eu ter acabado de consertá-lo. Então, eu a levei para casa com muito prazer no meu Mustang.

Quando chegamos, eu precisava muito mijar, então usei o pequeno banheiro no fim do corredor, logo ao lado do quarto dela.

Ao chacoalhar meu pau na privada, olhei para o lixo e vi a caixa de um teste de gravidez.

Humm.

Também havia dois pauzinhos no lixo. Sendo o idiota xereta que sou, ergui ambos e vi duas linhas cor-de-rosa em cada um deles.

Alguém naquela casa estava grávida.

Mas quem?

O banheiro era compartilhado por três quartos. Gia e Riley tinham seus próprios quartos, e o quarto do outro lado do corredor era compartilhado por dois caras.

O teste devia ser de Riley.

É.

Tinha que ser.

Bem, não poderia ser de Gia. Eu sabia disso. Porque ela não tinha transado com ninguém.

Meu coração estava acelerado.

Certo? Não poderia ser.

Ela não tinha transado com ninguém.

Exceto com o cara do The Heights.

Mas ela deve ter usado proteção, certo?

Conforme os segundos passavam, eu ficava cada vez mais paranoico.

— Está tudo bem aí dentro? — Ouvi Gia perguntar.

— Está — gritei de detrás da porta.

Minha mente voou para a noite anterior. Comecei a pensar mais em seu comportamento estranho.

Todas as perguntas — sugerindo que não havia tempo.

O choro.

Os peitos. *Puta merda.* Parecia que seus peitos tinham crescido desde a última vez que eu a vira.

Não poderia ser.

Não.

Não.

Não.

O pauzinho ainda estava na minha mão trêmula conforme esticava meus dedos, deixando-o cair de novo no lixo.

Quando abri a porta, Gia estava ali parada parecendo que tinha visto um fantasma. Ela estava tremendo... surtando.

Ela havia descoberto seu vacilo — o fato de ter deixado os testes no lixo.

A adrenalina me percorreu conforme as palavras saíram da minha boca.

— Você está grávida?

CAPÍTULO 19

Gia

Pensei que meu coração tivesse se partido quando vi o resultado do teste de gravidez. Mas não tinha. Tinha rachado, ainda continuara batendo. Soube disso no instante em que olhei nos olhos de Rush — porque foi nesse momento que todas aquelas rachaduras cederam e meu coração se estilhaçou em um milhão de pedacinhos. Nem conseguia responder a ele. Simplesmente fiquei ali parada e deixei as lágrimas escorrerem pelo meu rosto. A dor nos olhos de Rush combinava com a dor excruciante no meu peito.

— *Porra!* — Ele segurou seu cabelo com ambas as mãos.

— Porra. Porra. *Poooooorraaaa.*

Riley abriu de repente a porta do seu quarto e correu para o corredor, parecendo que a tínhamos acordado.

— O que está acontecendo? Está tudo bem?

Ela deu uma olhada para nós e soube exatamente o que tinha acontecido. Gesticulando *me desculpe*, ela se virou e entrou de volta em seu quarto, fechando a porta silenciosamente.

Meus olhos fixaram-se nos de Rush.

— Diga, Gia.

Sua voz era o tipo de calma que acontecia no olho da tempestade. Você sabe que há um turbilhão crescendo cada vez mais que vai te atingir bem forte em breve, e pode apenas se preparar para ele.

— Sinto muito — sussurrei. — Não sei como aconteceu.

— Não sabe *como essa porra aconteceu*?

Minhas lágrimas estavam silenciosas, porém a bolha explodiu. Soluços balançaram meus ombros e enfraqueceram minhas pernas conforme me abaixei até o chão.

— Porra — Rush disse entre dentes cerrados.

— Porra.

— Porra. Porra. Poooooorraaaa.

Através da minha visão embaçada, eu o vi se movimentar e, por uns segundos horríveis, pensei que estivesse indo embora, pensei que fosse passar por mim sentada no chão e sair pela porta da frente. Entretanto, de repente, eu estava no ar e nos braços de Rush. Ele me segurou e me carregou para o meu quarto. Fechando a porta com os pés, ele me levou para a cama e me deitou gentilmente.

— Usamos proteção. Juro que usamos. E foi apenas uma vez. Só transei com uma pessoa em mais de um ano, uma vez e isso acontece.

Rush se sentou ao meu lado e ficou apenas assentindo.

— Desculpe por não ter te contado. Só descobri ontem e... simplesmente ainda não conseguia dizer em voz alta.

Longos minutos se passaram, e ele continuou somente sentado e assentindo.

— Fale alguma coisa, por favor — sussurrei enquanto secava as lágrimas.

Ele nem conseguia olhar para mim.

— Você falou que nem sabe o número do cara.

Olhei para baixo e balancei a cabeça.

— Que tipo de babaca nem dá o contato correto para uma mulher?

— O tipo que não quer estar envolvido na sua vida depois de uma noite.

Rush inspirou fundo e expirou. Então finalmente se virou para me olhar.

— Jesus Cristo. Já pensou no que vai fazer?

— Não consegui pensar em nada, Rush. Sinceramente, estive tão preocupada com o que você iria pensar, que ainda nem absorvi direito. Mas sei que não posso fazer um aborto. Se minha mãe tivesse...

Rush estendeu o braço e segurou minha mão.

— Eu sei. Eu entendo.

Ficamos sentados em silêncio de novo. Em certo momento, eu disse:

— Não estou pronta para ser mãe. Moro em um apartamento de um quarto no Queens, e tenho um compromisso de um livro com uma editora com um adiantamento minúsculo, e provavelmente vão me processar para reavê-lo quando eu não entregar o manuscrito a tempo. Não sei nada sobre bebês, nem sobre ser mãe, aliás. Nem tive um exemplo maternal na vida. Mas o que mais me aterroriza é... — Me virei para olhá-lo, e ele olhou para os meus olhos. — ... o que tudo isso significa para mim e para você?

— Gia... — Rush passou a mão no cabelo pelo que parecia a décima vez. — Não tenho as respostas.

Não tinha o direito de ficar brava com sua resposta evasiva. Eu que tinha me metido nessa enrascada, e não era tão ingênua para pensar que isso não mudava tudo. Mas não significava que não me destruía senti-lo se afastar.

O celular de Rush apitou, e ele o pegou no bolso.

— Merda. A empresa de bebida está no The Heights com minha entrega. Era para eu estar lá agora para receber.

— Vá. — Forcei um sorriso. — Não dá para ter um bar sem bebida e, infelizmente, minha enrascada não vai a nenhum lugar com pressa.

Ele se levantou.

— É. Certo. Eu... eu te vejo mais tarde.

Rush deu alguns passos em direção à porta do meu quarto e, então, voltou para onde eu estava sentada na cama.

— Descanse um pouco.

Ele beijou o topo da minha cabeça. De alguma forma, consegui conter as lágrimas até ele sair, e ouvi seu carro ligar na frente de casa. Chorei sozinha até dormir.

— E aí, Gia? — Oak ergueu o queixo quando cheguei ao trabalho cedo para o meu turno.

Não tive notícias de Rush o dia todo e esperava que ele estivesse lá para, talvez, podermos conversar de novo. O choque inicial provavelmente tinha se transformado em algo diferente agora, e imaginei o que ele estaria sentindo.

Seu Mustang não estava no estacionamento quando Riley me deixou lá, porém meu carro estava. Ele deve ter conseguido fazê-lo funcionar de alguma forma.

Fui ao escritório e bati na porta. Após aguardar alguns minutos, respirei fundo e abri um pouco a porta. *Vazio*. Minha pulsação acelerou conforme perambulei pelo andar principal do restaurante à procura dele. Toda vez que pensava que ele poderia estar atrás de uma porta — na cozinha, no depósito, nos fundos —, prendia a respiração ao olhar. A cada vez que não o via, ficava decepcionada e aliviada ao mesmo tempo.

Quando estava subindo para o piso superior, o telefone tocou. Tinha me esquecido de pegá-lo do escritório, onde normalmente ficava carregando na mesa de Rush durante a noite. Mas o som estava vindo do salão de jantar. Alguém o deixara na estação da hostess junto com minhas chaves do carro. Atendi e fiz uma reserva para as sete horas. Um banquinho que, geralmente, não ficava na estação da hostess também estava lá, embora não fosse um dos que ficavam no bar. Era de couro, com um encosto almofadado e alto. Após a ligação, fiquei sentada nele por mais alguns minutos e fiz umas respirações profundas antes de ir para a escada. O único lugar em que Rush ainda poderia estar era no andar de cima, no bar do terraço.

No entanto, quando cheguei lá, não havia ninguém exceto por Oak. Ele estava atrás do bar trocando o barril de cerveja.

Fui até ele.

— Oak, sabe onde Rush está?

— Não o vejo desde que ele veio deixar sua cadeira e seu carro.

Minha cadeira?

— Ele não está aqui?

— Não. — Terminou de empurrar o barril no espaço apertado e secou as mãos em uma toalha. — Pensei que soubesse disso. Deixou as chaves do seu carro e essa cadeira que ele comprou. Falou que ia tirar a noite de folga.

Meu estômago apertou.

— Oh. Certo. Obrigada.

Voltei amuada para o andar de baixo e fui procurar meu celular na bolsa. Não o verificava desde que tinha saído de casa. Talvez Rush tivesse me enviado mensagem avisando que não iria naquela noite. Claro que, lá no fundo, eu sabia, pela sensação de vazio na boca do meu estômago, que não haveria nenhuma mensagem. Mas isso não me impediu de verificar.

Uma tristeza arrebatadora me tomou quando confirmei que ele não havia enviado mensagem. Tentei dizer a mim mesma que não significava nada. Rush só precisava de um tempo para absorver tudo. Quem não precisaria? Nem eu tinha absorvido realmente ainda.

Quando Oak desceu, me obriguei a me ocupar. Pelo menos, o trabalho seria uma distração. Fiz minha rotina pré-abertura normalmente, embora tivesse colocado meu celular para vibrar quando qualquer nova mensagem de texto chegasse e o guardado no bolso enquanto deixava tudo pronto para a noite. Apesar de não ter vibrado nenhuma vez, eu o verificava incessantemente mesmo assim.

Oak parou na recepção enquanto eu estava guardando o papel com os especiais do dia no plástico dos cardápios.

— Cinco minutos para abrir, G.

— Certo. Obrigada. — Quando ele começou a se afastar, pensei em uma coisa. — Oak?

Ele se virou de volta.

— Hummm?

— Onde é para colocar esta cadeira em que estou sentada? Você falou que Rush a deixou aqui. É para o escritório?

— Não. Ele falou que as hostesses precisavam de um lugar para descansar os pés. — Ele deu uma piscadinha. — Mas tenho praticamente certeza de que só há uma hostess cujos pés Rush se importa.

Apesar da tristeza que sentia por Rush não ter entrado em contato o dia todo e tirado a noite de folga, que eu desconfiava ser para me evitar, me apeguei ao fato de que ele tinha se dado ao trabalho de sair e comprar uma cadeira para eu poder ter um local de descanso, se necessário. Sem contar que também havia consertado meu carro a fim de garantir que não fosse embora caminhando. Era loucura sequer pensar nisso, porém Rush daria um ótimo pai com todo o seu instinto de proteção.

O restaurante lotou nas horas seguintes, então, pelo menos, não consegui ficar obcecada demais com minha situação. Sorrisos forçados e conversinhas simpáticas eram, basicamente, a maior parte do meu trabalho. No entanto, lá para as dez da noite, quando as coisas ficaram mais devagar, e eu tinha praticamente acabado com a bateria do meu celular de tanto olhar para ver se havia uma mensagem que nunca chegou, eu não tinha mais sorrisos falsos para dar.

Oak percebeu e parou para falar comigo.

— Você está bem, G?

— Estou. Só meio cansada. — Não era mentira. Eu estava exausta, tanto emocional quanto fisicamente.

Oak ergueu uma sobrancelha.

— Ahamm. O chefe também pareceu *meio cansado* quando veio aqui.

— Ele... falou alguma coisa?

— Se não percebeu, Rush é mais reflexivo, não fala muito.

Seu comentário mereceu meu primeiro sorriso genuíno da noite.

Oak olhou por cima do meu ombro para o salão de jantar.

— Parece que você só tem mais uma mesa. Todos acabaram?

— Sim. Estão só tomando café. A garçonete já deixou a conta para eles, mas não estão com pressa de pagar para eu poder passar o cartão de crédito.

Ele assentiu a cabeça em direção à porta.

— Vá para casa. Eu passo o cartão. Descanse um pouco. Enquanto estiver descansando, ligue para ele e diga que o perdoa por qualquer idiotice que ele tenha feito.

Queria que fosse fácil assim.

— Tem certeza de que não se importa?

— Vá para casa. O chefe acabaria com a minha raça se soubesse que não te mandei para casa quando precisava ir.

— Obrigada, Oak.

Dirigi meio aérea para casa. Foi burrice minha e, no futuro, era melhor eu não me arriscar assim se não estivesse me sentindo alerta o suficiente para dirigir. Não era mais apenas em mim que eu precisava pensar. Quando cheguei, desliguei o carro e relaxei no banco do motorista. Pela primeira vez, coloquei a mão na barriga. Parecia surreal reconhecer que havia uma pessoa crescendo dentro de mim.

— Ei. Eu sou... bem, acho que sou sua mãe. — Passei a mão gentilmente em círculos logo abaixo do umbigo. — Sinto que já deveria ter me apresentado. Mas só descobri ontem que você existia.

Deus. Tinha passado somente um dia mesmo?

Respirei fundo.

— Queria que soubesse que, só porque não foi planejado, não significa que vou fazer você se sentir indesejado algum dia. Meu pai costuma dizer: "A vida é dez por cento do que acontece com você e noventa por cento do que você faz com ela". E você e eu vamos fazer o melhor dela. Exatamente como meu pai e eu fizemos.

Terminei minha curta apresentação esquisita, peguei meu celular no carregador veicular, joguei as chaves na bolsa e saí do carro. Enquanto andava para a porta da frente, não pude deixar de verificar minhas mensagens de novo. Afinal de contas, os quinze minutos que demoraram para chegar em casa provavelmente foram o maior tempo que fiquei sem verificá-las o dia todo.

Mas... não havia nenhuma. *De novo.*

Olhando para baixo conforme me afogava em autopiedade, tinha quase chegado na porta quando uma voz me assustou pra caramba.

— Gia.

Pulei, e minha mão voou para o peito. Rush estava parado no escuro em frente à minha porta.

— Puta merda. Há quanto tempo está aí parado?

— Há um tempo. Eu estava aqui esperando quando você chegou. Parecia que você precisava de um minuto no carro, então não quis atrapalhar.

— É... eu...

Olhei por cima do ombro para trás. Será que eu estivera tão abstraída dos meus arredores que nem tinha visto o carro dele quando cheguei? Mas não o via.

— Cadê seu carro?

— Vim andando até aqui.

— São, no mínimo, alguns quilômetros.

Rush deu de ombros.

— Estava bebendo mais cedo, e precisava de um tempo para pensar, de qualquer forma. A caminhada me fez bem.

Nossos olhares ficaram travados.

— Oh.

— Está a fim de conversar?

— Claro.

Fui dar um passo adiante para abrir a porta da frente, mas Rush me impediu.

— Se importa de nos sentarmos no quintal? Talvez nas espreguiçadeiras, para conversar?

— Lógico que não. Quer beber alguma coisa?

Rush balançou a cabeça.

— Não, obrigado. Estou tranquilo.

Ele deu um passo para o lado e estendeu a mão para eu ir na frente. Enquanto passávamos pelo portão que levava ao jardim, pensei no porquê ele não queria entrar. Será que não queria ficar sozinho comigo no meu quarto? Pensava que haveria gritos e, por isso, queria privacidade? Será que eu estava pensando demais e ele só queria curtir o clima gostoso daquela noite?

No jardim, Rush colocou duas espreguiçadeiras juntas e se sentou na beirada de uma. Entendi sua deixa e me sentei à sua frente. As luzes externas de segurança haviam se acendido quando passamos, então olhei-o pela primeira vez de perto na luz.

Rush estava péssimo. Como se tivesse caído bêbado e alguém passasse seu cachorro por cima dele enquanto observava. Seu cabelo, definitivamente, tinha suportado uma continuação do cabo de guerra daquela manhã.

Ele apoiou os cotovelos nos joelhos e baixou a cabeça.

— Como está se sentindo?

— Fisicamente, bem. Cansada. Mas estou bem.

— Vai precisar descansar mais. Colocar os pés para cima quando puder.

Sorri.

— Bom, posso fazer isso no trabalho agora. Graças a você.

Ele assentiu.

— Pensei bastante hoje.

— Certo...

— Pensei nas coisas que falou que estava preocupada: não está pronta. Mora em um apartamento de um quarto. Não tem um trabalho estável e não sabe como ser mãe.

Uau. Ele realmente tinha ouvido.

— Não quis descarregar todos os meus problemas em você. Só estava falando sem parar porque estava assustada.

— Bom, precisa reduzir o estresse agora. Não aumentar a preocupação com as coisas. Então quero ajudar.

Minhas esperanças afloraram.

— Como assim?

— Primeiro, o apartamento de um quarto no Queens. Tem uma coisa que não contei a você sobre seu aluguel de verão.

— O quê?

— Eu sou o dono.

— Você *comprou* a casa?

— Não hoje. Quis dizer que sou o proprietário da casa que você alugou, bom, minha empresa é. Esta casa e duas outras por aqui fizeram parte da herança do meu avô. Na verdade, ele era dono de várias, então as dividiu entre mim, meu irmão e meu pai... Assim como fez com muitos de seus outros negócios.

— Por que não falou nada?

Rush deu risada.

— Não faço a mínima ideia. Primeiro, pensei que era engraçado, uma coincidência estranha. Depois, simplesmente esqueci que você não sabia.

— Isso é tão esquisito. Há milhares de casas por aqui, e *acabei* alugando uma da qual você é dono? E *acabei* conseguindo um emprego no seu bar?

— Minha mãe diria que alguém lá em cima... — Ele apontou o polegar para o céu. — ... queria que nos conhecêssemos.

Sorri.

— Teria que concordar com ela.

— Enfim. Ninguém alugou para depois do Dia do Trabalho. Geralmente, aceito poucos aluguéis em alguns eventuais fins de semana na baixa temporada, pouco mesmo até o verão seguinte. Se calculei corretamente, seu bebê é para o fim do inverno. Fique por aqui. Use a casa durante o inverno sem pagar o aluguel. Pode entregar seu apartamento no Queens e economizar dinheiro até o próximo verão.

Uau. Realmente não esperava isso, mas também era bem mais do que poderia aceitar dele.

— Rush... é muito generoso da sua parte, mas...

Ele ergueu a mão, me fazendo parar.

— Deixe-me terminar. Isto soluciona muitas preocupações suas, não somente a do apartamento de um quarto. Você quer escrever... a história que está escrevendo acontece nos Hamptons. Você mesma falou que ficaria feliz se conseguisse transformá-la em uma série. Bom, vai escrever melhor essa série ficando por aqui. E praticamente perco todos os meus funcionários depois do Dia do Trabalho. O restaurante fecha em outubro, mas mantenho o bar aberto o ano inteiro. É frequentado por um monte de locais que não bebem todas as porcarias que os pirralhos do verão bebem. Então vou te ensinar a fazer uns drinques, e pode ficar como minha bartender para ter um trabalho estável.

— Rush... não sei o que dizer...

Ele ergueu a mão de novo.

— Ainda não terminei.

Sorri, minhas esperanças aumentando a cada minuto.

— Certo.

— A última coisa com que está preocupada: não estar pronta para ser mãe. Eu mesmo não consigo te ajudar muito nessa parte. No entanto, tenho a pessoa perfeita: minha mãe me criou sozinho. Tenho certeza de que ela adoraria vir para cá, ficar com você e te ensinar todas essas merdas de mãe...

— Merdas de mãe...

— O que precisar aprender para te fazer sentir melhor.

De manhã, eu tinha jogado uma bomba naquele homem, e, em vez de ficar bravo e sair correndo, ele havia passado o dia tentando resolver todos os meus problemas por mim. E havia conseguido pensar em quase tudo. Foi incrivelmente generoso e gentil. Mas tinha se esquecido da parte mais importante do que eu havia falado de manhã. Ou talvez não tivesse...

— Rush, é a proposta mais gentil e generosa que alguém já me fez. E fico mais grata do que imagina. Porém... — Não sabia direito como falar o que realmente queria depois do tanto que ele havia me oferecido.

— O quê?

— Foi realmente gentil e generosa. E não quero que pense que não gostei de tudo que está propondo e do quanto pensou nessas questões hoje. Mas meu objetivo, ao te contar mais cedo, não foi que você resolvesse meus problemas. O objetivo foi que, quando eu terminasse de te contar o quanto temia todas essas coisas... — Respirei fundo e fixei o olhar no de Rush antes de chegar à parte mais importante. — Te contei que temia todas essas coisas e, ainda assim, o que mais me aterroriza é... o que acontece entre mim e você agora.

Os olhos de Rush me disseram a resposta antes de ele encontrar as palavras. Ele pareceu perturbado e triste, misturado com um toque do que pensei ser culpa. Respirando fundo, ele estendeu o braço e apertou meu joelho.

— Desculpe, Gia. Desculpe mesmo. É que... só não estou pronto para uma família. Nem sabia se enxergava um relacionamento sério na minha vida antes de te conhecer. Foi por isso que fiquei tentando ir devagar. Você é uma mulher incrível, e quero te ajudar como puder. Mas a coisa se tornou real, e agora não é apenas você que vou arruinar quando algum dia... Eu só... Não estou pronto para isto.

Parecia que um peso de vinte quilos tinha caído no meu peito. Estava difícil de respirar.

— Entendo.

Ele apertou meu joelho de novo para ter minha atenção. Rush parecia tão triste quanto eu.

— Fique na casa. Trabalhe no The Heights durante o inverno. Me deixe ajudar assim pelo menos.

O gosto salgado na minha garganta me dizia que eu não iria conseguir conter as lágrimas por muito mais tempo. Rush já se sentia bem mal. Ele estava tentando, ao máximo, fazer a coisa certa. Não precisava carregar esse fardo. Me levantei.

— É bastante coisa para se pensar. Mas agradeço de verdade por sua proposta.

— Gia... — Ele se levantou. Era uma tortura não poder estender o braço e tocá-lo naquele momento.

— Preciso entrar. Necessidades fisiológicas.

Ele pareceu abatido, mas assentiu.

Mantive a cabeça erguida conforme me apressei até a porta — torcendo, apenas torcendo, para que eu conseguisse disfarçar de coragem minha fuga e facilitar um pouco para Rush.

CAPÍTULO 20

Gia

Aparentemente, o enjoo matinal não vinha sempre de manhã.

O especial daquela noite era salmão frito e aspargo assado com alho e parmesão. Sempre adorei o cheiro da cozinha do The Heights, até entrar lá duas noites depois da minha conversa com Rush. Tive que, literalmente, correr para o banheiro, onde eliminei o pouquinho que havia comido durante o dia.

Minha cabeça estava pendurada acima do vaso sanitário conforme terminava de vomitar tudo. Não havia mais nada agora, no entanto, parecia que meu estômago não estava entendendo a mensagem. A porta do banheiro se abriu e depois se fechou.

— Você está bem? — A voz de Rush estava baixa.

Tive ânsia quando abri a boca para responder.

— O que posso fazer?

Pela proximidade de sua voz, eu sabia que ele estava parado logo do outro lado da porta da cabine onde eu estava.

— Será que pode pegar alguma coisa para eu beber? Uma coca sem cafeína.

— Claro. Já volto.

A porta se abriu e fechou e, alguns minutos depois, Rush estava de volta ao banheiro feminino.

— Quer que eu passe por debaixo da porta? Ou você vai sair?

Estendi o braço e abri o trinco, porém não me levantei do chão. Rush abriu a porta com delicadeza e ajoelhou-se ao meu lado com um copo de refrigerante.

— Aqui está.

Dei alguns goles hesitantes e balancei a cabeça.

— Obrigada. Desculpe. Não sabia que isso ia acontecer. Simplesmente entrei na cozinha, e acho que o cheiro me enjoou.

Após estar de folga no dia anterior, o primeiro contato que tive com o homem tinha que ser em um banheiro. Mais provas de que ele deveria sair correndo.

Rush se sentou no chão ao meu lado.

— Não precisa se desculpar. Se os homens tivessem que passar por tudo que as mulheres passam, a raça humana teria sido extinta há muito tempo.

Eu sorri.

Ele tirou o cabelo do meu rosto.

— Você está bem?

— Estou. Mas espero que isso não aconteça com frequência. O pessoal da limpeza veio durante o dia. Pensar em ficar com a cabeça na privada depois de as pessoas usarem o banheiro a noite inteira é suficiente para me fazer querer vomitar de novo.

Rush sorriu.

— Espere um segundo.

Ele se levantou e desapareceu. Dois minutos mais tarde, estava de volta com um pedaço de papel e uma fita adesiva. Rasgou dois pedaços do rolo de fita e grudou o papel na porta do banheiro em que eu estava sentada.

— Pronto. Agora este banheiro é só seu.

Olhei para cima e li o que ele escrevera no papel agora grudado com fita na porta: FORA DE SERVIÇO.

Dei risada.

— Não pode deixar um banheiro fora de serviço só para o caso de eu ficar enjoada.

— Até parece que não posso. O lugar é meu. Tem mais dois banheiros. Qualquer um que não gostar disso pode vir conversar comigo, e aí vou dizer que existe um oceano lá fora. Que mijem lá.

Ele estendeu a mão com uma pequena ferramenta prateada que parecia uma chave Allen.

— O que é isso? — perguntei.

— É para abrir a porta quando está trancada, para você não precisar rastejar por baixo para usar seu banheiro limpo. É só enfiar isso na fechadura da porta e girar. Abre o trinco. Ficaria surpresa com quantos pirralhinhos vêm jantar com os pais e acham engraçado entrar no banheiro, trancar e sair rastejando.

Ele continuava me matando com sua gentileza. Só me fazia querê-lo mais, sendo que não poderia mais tê-lo.

— Bom, obrigada. Agradeço muito mesmo.

— Por nada. — Ele ficou em silêncio por um tempo, então disse: — Aliás... Eu, ãh, espero que não se importe, mas contei à minha mãe sobre a gravidez. Ela quer que você saiba que pode ligar a qualquer hora se precisar conversar. Vou te enviar o contato dela.

Uau.

Não sabia direito como me sentia por Melody saber, porém algo me dizia que eu iria precisar aceitar seu convite.

— É muito legal da parte dela. Obrigada.

Algumas noites depois, eu estava sozinha no meu quarto tendo o que parecia ser um ataque de pânico. Havia ido ao médico mais cedo, e ele me disse que realmente estava grávida e marcou meu primeiro ultrassom como próximo passo.

A notícia formal não foi surpresa, contudo, ainda era difícil ouvir a confirmação sem sombra de dúvida.

O choque da minha gravidez estava começando a passar, e a realidade estava se instalando. Tudo começou a me atingir ao mesmo tempo.

O fato de que seria mãe.

O fato de ainda não ter contado ao meu pai.

Perder Rush. Era a coisa mais difícil de aceitar. Bem, talvez teria sido mais fácil se o tivesse perdido por completo. Ele ainda estava por perto, garantindo que eu ficasse confortável e segura no trabalho, oferecendo qualquer coisa que eu precisasse quando a única coisa de que eu realmente precisava era do bendito coração dele.

O fato de ele estar por perto dificultava ainda mais, porque eu desejava mais: o que tivemos, e ele. Eu só queria que me abraçasse à noite. Me sentira tão segura em seus braços. E agora, bem quando eu mais precisava, não podia tê-lo desse jeito, e não era justo que eu esperasse isso.

Então, conforme olhava para a pintura linda de pôr do sol de Melody, que agora representava toda a esperança que fora drenada da minha vida, percebi que realmente precisava conversar com alguém. Me sentindo desesperada, procurei o contato que Rush havia me enviado de sua mãe e tomei a decisão impulsiva de ligar para ela.

Quando ela atendeu, eu disse:

— Melody?

— Gia?

Ela sabia que era eu. Rush deve ter lhe dito para esperar minha ligação.

— Oi. Eu... ãh... Rush me falou que eu poderia ligar para você.

— Claro. Ele me contou sua novidade. Falaria parabéns, mas me lembro de como me sentia quando as pessoas diziam isso para mim no início. Você não se sente pronta para isso porque ainda está duvidando bastante de suas capacidades. — Ela suspirou no telefone. — Vai ficar tudo bem, Gia. Sei que pode parecer que não neste momento.

Suas palavras tranquilizadoras me deixaram ainda mais emotiva. *Será que é assim ter uma mãe para conversar?*

Não perdi tempo e já fui direto ao ponto.

— Teria problema se eu fosse te ver... conversar ao vivo?

— Claro que não. Tem certeza de que está se sentindo bem para dirigir até aqui? Porque eu posso ir aí.

— Na verdade, gostaria de ir até aí te ver. Acho que preciso sair daqui um pouco.

Quando contei a Rush que estava planejando visitar sua mãe, ele se recusou a me deixar ir com meu carro, temendo que não conseguisse chegar lá.

Alugou uma CRV confortável da Honda, apesar da minha insistência para não se preocupar comigo. No entanto, quando entrei na estrada, agradeci por não ter que apertar o volante durante a viagem inteira.

A caminho da casa de Melody, comprei um chá descafeinado na Starbucks e coloquei um audiobook de um romance sobre um cara gostoso australiano e uma maldita cabra. O tempo estava perfeito para uma viagem longa, e acabou sendo bem relaxante, exatamente do que eu precisava para espairecer de alguma forma antes de encontrá-la.

Melody estava cuidando do jardim do lado de fora quando parei na entrada de sua casa. Ela esfregou a terra de sua bata e se aproximou do carro. Abaixei o vidro.

— Você chegou rápido. — Ela sorriu.

— É. Estava sem trânsito.

Entramos. Era reconfortante estar de novo em sua casa, rodeada por todos os quadros e cores vibrantes. Melody tinha um estilo bem boêmio, e havia um clima zen por toda a casa.

Nos sentamos na cozinha, onde ela tinha colocado um prato com frutas e queijos junto com uma jarra grande de limonada.

Uni as mãos e apoiei os cotovelos na mesa.

— Obrigada por me encontrar. Sei o quanto isso deve ser estranho... conversar com a ex-namorada do seu filho que está grávida de outro.

Ela balançou a cabeça como se me dissesse que minhas preocupações eram infundadas.

— É um prazer, Gia. Fiquei surpresa e meio decepcionada quando Rush me contou, para ser sincera — disse, e rapidamente pegou minha mão para esclarecer. — Não com você... só com o fato de saber o que isso poderia significar para você e o meu filho.

É.

Esperava mesmo que ela não me julgasse por como tinha me metido nesse dilema — devido a um caso de uma noite. Com o pai de Rush, ela estivera em um relacionamento de verdade, pelo menos do seu ponto de vista.

— Não sei o quanto Rush te contou...

— Ele me contou tudo. Não precisa me explicar nada sobre como aconteceu. Já passei dessa fase. Não se estresse para me explicar nada. — Ela estendeu a mão para o outro lado da mesa de novo, colocando-a sobre o meu braço. — Como você está?

Expirando a respiração trêmula, respondi:

— Não muito bem. Me sinto culpada por me sentir tão triste... porque não é assim que se traz uma criança ao mundo. E tenho medo de que toda essa minha energia negativa afete o bebê de alguma forma. Mas é bem difícil ficar feliz quando se sente que seu mundo virou de cabeça para baixo.

Ela olhou triste para mim.

— Sinto muito mesmo. Mas garanto que é temporário. As coisas sempre melhoram, não necessariamente ficam mais fáceis, mas melhoram.

— Pode me contar um pouco de como foi sua experiência quando descobriu que estava grávida de Rush?

Melody fechou os olhos momentaneamente, então começou:

— Bom, sabe, minha situação não era muito diferente da sua. O pai dele não estava presente. Acho que o que me ajudou no início foram algumas coisas. Aprender a viver um dia por vez e entender que não precisa fazer mais do que isso... é realmente a chave. É tanta pressão que só de pensar nisso pode ser o bastante para te deixar louca. Há muitas coisas para as quais sente que precisa se preparar, mas, de verdade, a única coisa que precisa fazer agora é respirar e se cuidar. Não há motivo para não viver cada momento conforme vai acontecendo. Não precisa lidar com tudo de uma vez só e, certamente, não precisa ter todas as respostas.

Suas palavras me trouxeram um pouco de conforto.

— Sempre é mais fácil falar do que fazer, mas vou tentar mesmo me lembrar disso.

Ela apontou para o prato de frutas.

— Por favor, coma alguma coisa. — Melody serviu um pouco de limonada em um copo e o deslizou para mim. — A outra coisa é entender que é absolutamente normal não saber o que está fazendo, e seguir seus instintos. Há uma primeira vez para tudo, e muitas coisas serão por tentativa e erro. Coisas como trocar fraldas, alimentar o bebê... vai tudo parecer natural assim que se acostumar. Mas não há uma forma verdadeira de aprender a cuidar de um bebê além de realmente fazê-lo. E ninguém espera que você seja perfeita logo de cara.

— Que bom. Porque tenho praticamente certeza de que serei um desastre.

Ela deu risada ao colocar uma uva na boca.

— Vai se surpreender.

Houve um instante de silêncio em que ela apenas ficou me olhando do outro lado da mesa. Não sei por que me senti obrigada a dizer:

— Não tenho mãe, sabe?

Os olhos de Melody transbordaram de empatia.

— Eu sei.

— Não conseguia me lembrar se tinha te contado. — Olhei para o nada, contemplando minha falta de modelo materno. — Como serei uma boa mãe se nem tenho uma?

— Porque é natural — ela respondeu sem hesitar. — Você é uma pessoa amável e carinhosa que vai fazer tudo que pode para cuidar do bebê. Provavelmente, ela nunca teve o dom maternal. Você não é sua mãe.

Realmente esperava que ela tivesse razão. Conforme fui processando suas palavras, lágrimas escorreram por minhas bochechas. Melody deu a volta com sua cadeira para se sentar ao meu lado e me abraçou.

Ficamos assim por um tempo até ela me dar um guardanapo a fim de secar meus olhos, então disse:

— Vai ficar tudo bem. É difícil saber agora. Mas vai, acredite em mim. — Ela se levantou e começou a andar em direção ao seu quarto. — Já volto. Quero te mostrar uma coisa.

Alguns minutos mais tarde, ela voltou com um álbum de fotos e o colocou na mesa.

— Tenho quase certeza de que Rush me mataria se soubesse que te mostrei isso, mas é problema dele.

Havia muitas fotos de uma jovem Melody com o bebê Rush, que era surpreendentemente loiro quando criança. Ainda tinha o mesmo sorriso safado e olhos expressivos. Melody parecia bem jovem, e seu cabelo era muito comprido.

Quando ela chegou em um grupo de fotos que pareciam ter sido tiradas por um profissional, sorriu de orelha a orelha.

— Me lembro deste dia. — Ela cobriu a boca ao apontar para uma foto em particular do bebê Rush sentado em seu colo. — Ah, meu Deus. Eu tinha levado Rush para o estúdio de fotos da Sears. Logo antes disto, ele tinha vomitado em toda a sua roupa novinha. Eu estava aos prantos porque a loja era bem distante de onde eu morava, e não queria ter que voltar, então o fotógrafo me deu uma roupa para ele usar que um cliente anterior tinha esquecido lá. Está vendo como o macacão está meio grande?

— Olhe para esse sorriso banguela e babão. — Dei risada.

— Sei que estava completamente estressada logo antes disto, mas, assim que o fotógrafo nos acomodou, Rush ficou posando para a câmera. Fui embora me sentindo bastante sortuda, com um humor totalmente diferente comparado a como tinha chegado. — Ela olhou para o vazio por um instante antes de olhar para mim. — A maternidade é assim. Uma série de altos e baixos. Mas tudo vale a pena, Gia. Acredite em mim quando digo isso.

Continuei encarando a foto do bebê Rush com um sorriso enorme. Era o reflexo da bondade natural construída no meu homem durão.

Meu homem durão.

Será que eu não tinha recebido a informação de que ele não era meu mais?

— O que foi, Gia?

Melody deve ter notado minha repentina expressão de tristeza. Malditos hormônios de gravidez.

Perceber isso foi como se uma tonelada de tijolos me atingisse.

— Eu estava me apaixonando pelo seu filho antes de isso acontecer. Rush deixou claro que não está pronto para tudo isto. Não o culpo. Só que é uma droga, sabe? Porque ele e eu... nós realmente tínhamos algo. Mas entendo por que ele não pode ficar comigo. Entendo mesmo.

— Sinto tanto por isso. Se eu tivesse um botão mágico, queria poder acertar tudo entre vocês dois. Também queria que meu filho se sentisse de maneira diferente. Mas, se há uma coisa que aprendi sobre ele, é que não consigo dizer o que ele pode fazer ou como pode se sentir. Mas torcerei por vocês, para talvez haver uma mudança no coração dele em relação a isso.

Pensei se ela realmente queria isso ou se, lá no fundo, não queria que seu filho ficasse com alguém que vinha com uma bagagem quando, provavelmente, ele poderia ter quem quisesse. Nunca saberia se ela estava me falando a verdade ou se só queria me fazer sentir melhor.

De jeito nenhum eu iria manter as esperanças, de qualquer forma. Havia coisa demais em jogo agora para me preocupar com meu coração partido. Em vez disso, precisava me concentrar no coraçãozinho batendo dentro de mim.

CAPÍTULO 21

Rush

Tinha se tornado meu novo ritual noturno ficar do lado de fora do The Heights por muitos minutos durante as horas de pico. Ficava fumando enquanto observava as coisas de longe pelas janelas.

À noite, as luzes dentro do restaurante me davam a vista perfeita da estação da hostess. O brilho nas janelas significava que ela não conseguia me ver observando-a.

Estar dentro de ambientes por períodos longos era demais para mim ultimamente. Além disso, estava precisando fumar ainda mais, como se fosse tirar de dentro do meu peito, de alguma forma, essa sensação que eu nem conseguia descrever.

Fumava um cigarro atrás do outro, alternando entre assentir para clientes quando entravam e olhar pela janela para garantir que Gia estivesse bem, que não ficasse muito em pé.

Tudo tinha mudado.

Mesmo assim, *nada* tinha mudado.

Ainda *sentia* tudo que sempre senti por ela; a única diferença era que não podia mais fazer nada quanto a isso. Isso acabava comigo. Acabou comigo admitir para ela que eu não servia para o que ela precisava. Acabou comigo ver a tristeza em seus olhos quando o fiz. Mas não iria arriscar decepcionar uma criança. Esse era o meu limite.

Um dia, ela encontraria seu caminho; encontraria, sim. Eu só precisava ajudá-la a se sustentar. Então a encorajaria a se mudar de volta para a cidade assim que soubesse que ela ficaria bem — que *eles* ficariam bem. Enquanto isso, eu a queria aqui, onde pudesse ficar de olho nela.

A fumaça se ondulou do meu nariz conforme eu alternava entre olhar para a água e para Gia pela janela.

Tinha acabado de apagar o cigarro com o pé e soprado uma última vez quando olhei para cima e vi dois homens parados na estação da hostess.

Soou um alarme na minha cabeça. Um cara estava se debruçando para ela e sendo agressivo demais para o meu gosto, enquanto o outro só parecia bêbado, rindo igual um idiota.

Alguns minutos depois, eles estavam praticamente em cima dela, bloqueando minha visão.

Chega.

Estava cansado de observar.

Entrando bravo, fui até onde eles estavam parados.

— Posso ajudá-los com alguma coisa?

— Não, só estávamos curtindo a companhia da hostess linda aqui.

— Bom, ela não é para a curtição de vocês. Está trabalhando. Deem espaço.

— Rush... está tudo bem, de verdade — Gia se intrometeu.

Ignorei seu pedido, jurando não ir até eles saírem do pé dela.

Ambos os homens se recusaram a sair do lugar.

Dei dois passos para mais perto deles, cerrando o punho.

— Não ouviram o que acabei de falar, porra?

— Cara, eu ouvi. Só não vou obedecer.

Então seu amigo cometeu o erro de se aproximar do meu rosto com seu bafo de cerveja.

— Quem você pensa que é para dizer a ele o que fazer, caralho?

Surtei, peguei o cara pelo pescoço e o arrastei com toda a minha força até a porta que dava para a rua. O outro cara nos seguiu para fora.

— Sou dono deste lugar, babaca, e posso fazer o que eu quiser — berrei na cara dele antes de soltá-lo e não o matar.

Oak, que estivera no terraço quando tudo aconteceu, saiu correndo.

— Mantenha esses caras fora — gritei antes de passar trombando nele sem explicar mais nada.

Todos os olhos estavam em mim quando entrei de volta. Não foi a decisão mais profissional da minha carreira. Mas era a última coisa com que eu estava preocupado no momento.

Gia parecia assustada quando retornou após acompanhar uns clientes.

— Não acha que foi meio exagerado?

— Não — respondi, rude. — Agora, volte ao trabalho.

Passei o resto da noite sozinho no meu escritório, refletindo. Apesar de não me arrepender de jogar aqueles babacas para fora, era o motivo disso que estava me corroendo.

Se eu ia ficar longe de Gia, precisava parar de ficar tão emocionalmente envolvido com ela – tão possessivo. Era um hábito difícil de mudar.

Estava prestes a fechar. De repente, pulei da cadeira e atravessei o restaurante sem fazer contato visual com Gia e Oak.

Fui direto para o estacionamento, entrei no carro, acendi um cigarro e peguei meu celular. Deslizei para baixo até o nome dela.

Eu ia fazer isso mesmo? Precisava fazer.

Digitei uma mensagem.

Rush: Está por aqui para transar?

Poucos segundos se passaram e chegou uma resposta.

Everly: Por que acha que vou continuar conversando com você depois da merda que fez da última vez, me dando um bolo?

Rush: Isso é um não?

Everly: Queria conseguir falar não para você.

Rush: Estou indo para sua casa.

Everly: Estarei aqui.

Devo ter ido a uns cento e cinquenta quilômetros por hora o caminho inteiro até a casa dela. Mas não era porque estava empolgado para vê-la. Eu sabia que era porque uma parte de mim queria acabar logo com isso, só para provar que eu conseguia superar Gia. Porque eu *tinha* que superar.

Everly abriu a porta vestida com apenas um shortinho curto jeans e sutiã. Passei por ela com um aceno, seguindo direto para a geladeira, onde peguei uma das cervejas que sabia que ela mantinha refrigeradas.

— Bom, olá para você também. — Ela deu risada, debruçando-se no balcão, com os peitos inteiros à mostra.

Após engolir metade da garrafa, fui até onde ela estava parada.

Everly envolveu os braços no meu pescoço.

— Estou muito feliz por ter ligado. Faz bastante tempo.

O antigo Rush estaria transando com ela contra a parede agora. Eu simplesmente fiquei ali encarando-a com meu corpo rígido, sem saber se realmente conseguiria fazer isso.

Parecia que estava traindo Gia, e podia dizer com sinceridade que era a primeira vez na vida que dava a mínima para algo assim.

Ela deu um passo para trás.

— Você está suando em bicas. O que há com você esta noite?

Meus olhos desceram por seu corpo. Não havia dúvida de que Everly era sexy pra caralho. Eu não deveria pensar tanto assim. Mas nem estava excitado porque estava estressado demais.

— Acho que sei exatamente do que você precisa — disse, ajoelhando-se.

Ela começou a abrir o zíper da minha calça ao lamber os lábios, preparando-se para fazer oral em mim.

Congelei.

Segurando meu pau, ela se inclinou para me colocar na boca, mas puxei seu cabelo para trás logo antes de seus lábios conseguirem encostar na minha pele.

— Porra — resmunguei ao soltá-la e fechar o zíper.

Ela se levantou e me olhou desafiadoramente.

— Que porra está acontecendo com você, Rush? Sério. Foi *você* que *me* enviou mensagem. Que tipo de jogo está fazendo?

Eu sabia que, depois daquela noite e da última vez que dei um bolo nela, se saísse por aquela porta, poderia praticamente dizer adeus a qualquer esperança de sexo sem sentido no futuro com Everly. Aquele fato não significava nada para mim... de tão doido que eu estava.

Simplesmente não conseguia continuar.

Isso não era necessidade de sexo. Era um teste. E eu tinha reprovado pra cacete.

Parando na porta, finalmente falei:

— Desculpe.

— Saia daqui. E nunca mais pense em me ligar ou enviar mensagem de novo. — Ela bateu a porta na minha cara.

Suas palavras não me perturbaram quando saí e entrei no carro. Não o liguei de imediato, apenas fiquei lá encarando a rua deserta.

Estava indignado com meu comportamento naquela noite.

Diferente de como fui até a casa de Everly, estava voltando a uma velocidade menor do que o limite. Provavelmente era porque uma parte de mim sabia que eu não estava indo para casa.

Depois de estacionar, devo ter ficado sentado no carro por mais de meia hora, decidindo se tocava ou não a campainha dela.

Que porra está fazendo, Rush? Por que está aqui?

Meu celular apitou.

Gia: Há algum motivo para estar estacionado na frente da minha casa?

Rush: Vigiando?

Gia: Até parece.

Rush: Pediu pizza?

Gia: Então minha pizza está terrivelmente fria.

Rush: Não sei o que estou fazendo aqui.

Gia: Quer entrar?

Rush: Sim.

Gia: Mas não vai...

Rush: Acho que não deveria.

Gia: Ok.

Apesar das minhas palavras, depois de alguns instantes, eu estava batendo na porta.

Gia abriu, vestindo uma camisola branca e transparente que exibia seus mamilos enormes. Tive que obrigar meus olhos a se erguerem, porque tudo que eu queria era levantar o tecido e chupá-los bastante.

A casa estava quieta conforme olhei em volta.

— Cadê o pessoal que mora com você?

— Todos estão fora trabalhando. Raramente acontece isso. Estou curtindo a paz e o silêncio.

Isso não era bom. Realmente precisava ir embora.

Ela me surpreendeu quando disse:

— Toma sorvete comigo?

— Sorvete...

— É. — Ela sorriu, e eu simplesmente derreti ao ver isso.

Parecia bem inocente.

— Depende do sabor — zombei.

— Chunky Monkey[2]... como parecerei daqui a alguns meses.

Talvez esse pensamento devesse ter me desanimado, porém teve o efeito oposto. Adorava suas novas curvas e a ideia de mais. Minha afinidade com seu corpo só dificultava ainda mais minha situação.

— É meu sabor preferido — comentei.

Nos sentamos na sala de estar, silenciosamente comendo no mesmo pote de Ben & Jerry's.

Enfim, ela disse:

— Todo mundo estava falando da sua explosão mais cedo, como jogou aqueles caras para fora e, depois, como foi embora do The Heights sem falar nada para ninguém.

Minha boca estava cheia de sorvete.

— Bom, deixe que falem. Não me importo. Ainda apoio o que fiz. Aqueles idiotas não podiam ficar em cima de você daquele jeito.

— Aonde você foi depois que saiu?

---

2 "Macaco Robusto", em inglês. (N.T.)

Quando parei de comer e não falei nada, ela tirou a própria conclusão. Talvez a culpa estivesse óbvia.

Ela expressou um olhar de preocupação.

— Foi se encontrar com uma mulher? — Quando não respondi, ela ficou mais insistente. — Me responda.

Ainda não queria admitir minha estupidez da noite.

— Transou com alguém esta noite? — ela continuou insistindo.

— Não. — Saiu mais alto do que eu pretendia.

— Então onde você estava?

Não queria mentir para ela.

— Tentei transar com uma pessoa. Queria esquecer... esquecer o que aconteceu no The Heights, esquecer você.

Não tive a intenção de ser tão grosseiro. Mas ela queria a verdade.

Lágrimas começaram a cair de seus olhos. O fato de estar chateando Gia me matava. Por que lhe contei a verdade?

— Mas não consegui, Gia.

— Por que não? Pode muito bem. Não me deve nada. Deveria estar por aí fodendo todo mundo agora. Você tomou sua decisão em relação a mim.

— Não é justo.

— É a verdade!

— Só porque não posso estar com você não significa que não *queira* estar com você. E não significa que esteja pronto para seguir em frente, por mais que desejasse conseguir. Ficar longe de você é a coisa mais difícil que já tive que fazer.

Nós dois ficamos em silêncio por tempo demais, apenas encarando intensamente os olhos um do outro.

— Estou com saudade de você — ela sussurrou.

Também estou com saudade de você.

Não consegui resistir e a trouxe para mim. Ela enterrou o rosto no meu peito. Meu coração estava batendo descontrolado. Era coisa demais; a maciez da sua pele, o reconhecimento do seu cheiro. A necessidade de continuar exatamente de onde paramos.

Meu pau endureceu. Não consegui levantá-lo para Everly, mas era só ter essa mulher maravilhosa e grávida nos meus braços que meu corpo despertava totalmente. Queria que o fato de ela estar grávida me brochasse, mas nunca estive tão excitado na vida.

Entrar na sua casa foi um erro.

Soltei-a, colocando minha colher na mesinha de centro e me levantando.

— Tenho que ir.

Conforme estava saindo, sua voz me fez parar.

— Vou fazer meu primeiro ultrassom amanhã.

Fiquei paralisado. Meu coração começou a bater mais rápido.

Ouvi-la dizer isso realmente fez cair minha ficha de que havia um *ser humano* de verdade dentro dela.

Ela continuou.

— Estou com muito medo. Tipo, e se eles encontrarem algo errado... ou se o coração não estiver batendo... ou se eu surtar quando vir. Sei que vai parecer maluquice, Rush. Além de Riley, que está fora da cidade esta semana, você é o melhor amigo que tenho aqui. Ainda nem consegui reunir coragem para contar ao meu pai. Enfim... acha que pode ir comigo?

O quê?

Diga alguma coisa.

— Não sei, Gia.

— Por favor?

Como eu poderia dizer não? Ela estava com medo e, apesar de todas as partes complicadas daquela situação, eu gostava profundamente dessa garota. Se ela precisava que eu segurasse sua mão, então eu precisava me controlar e fazer isso.

Respirei fundo e assenti.

— Ok.

CAPÍTULO 22

Rush

— Você está me deixando ainda mais nervosa. — Gia colocou a mão no meu joelho, interrompendo o incessante balançar da minha perna. Nem tinha percebido que estava fazendo isso.

— Desculpe.

Sentados lado a lado na sala de espera do consultório médico, eu esperava, de forma impaciente, seu nome ser chamado. Estava uma pilha de nervos desde que paramos no maldito estacionamento. Que bela ajuda eu era. Tinha vindo porque ela estava nervosa, mas lá estava ela me acalmando. Eu não fazia ideia de por que estava tão ansioso, mas, dez minutos depois, quando o telefone da recepcionista tocou, literalmente pulei da cadeira. Tive que disfarçar fingindo que precisava usar o banheiro.

Qual é o meu problema?

— Estava pensando no meu antigo emprego ontem à noite — Gia disse. — Em todos os cartões que escrevi.

— Ah, é? Aposto que não tinha seu próprio banheiro nesse emprego.

Ela deu risada.

— Não, definitivamente não tinha. Mas não estava comparando meu antigo emprego com o trabalho para você. Não há comparação porque gosto muito mais de ficar com você no The Heights... Quero dizer, de trabalhar no The Heights. Porém, estava pensando nos cartões que escrevia para parabenizar pessoas pela gravidez. Na época, achava que eram engraçados. Embora agora, estando sentada no consultório de um obstetra de verdade, ache que, talvez, alguns deles fossem longe demais, quase ao ponto de serem insensíveis sem nem perceber.

— Tipo como?

— Bom, lembro especificamente de escrever um assim: do lado de fora dizia "Como consegue fazer uma melancia passar por um buraco de donut?". E, então, na parte de dentro dizia "Está prestes a descobrir".

Dei risada.

— É engraçado.

— Falou o cara que não precisa empurrar uma melancia por seu buraco de donut.

A recepcionista chamou o nome de Gia, e ela olhou para mim. De repente, o medo se tornou palpável em seus olhos. Peguei sua mão e a apertei.

— Vai ficar tudo bem. Esse bebê será saudável e lindo exatamente como a mãe dele.

— Dele?

— Dele o quê?

— Você falou exatamente como a mãe dele. Então acha que vou ter um menino?

Não tinha percebido que havia falado o sexo do bebê.

— Vamos. Pare de enrolar. — Me levantei e dei um leve puxão em sua mão. — E não *acho* que vai ter um menino, eu *sei* o que vai ter.

Gia se levantou.

— Sabe?

Dei uma piscadinha.

— Claro. Uma puta de uma melancia gigante.

— É meio cedo para conseguir saber o sexo do bebê. Mas, antes de eu começar, você quer saber se conseguir ver o gênero com clareza? — A técnica de ultrassom pegou luvas de uma caixa no balcão e as calçou.

— Humm. — Gia olhou para mim para responder. — Não sei. Achei que não desse para ver logo, então ainda nem pensei nisso. O que acha, Rush?

Fiz uma careta.

— Você que sabe. Eu já sei o que é.

A técnica de ultrassom, obviamente, não sabia que o que eu queria dizer era que estava grávida de uma melancia. Ela apagou as luzes da sala e puxou um banquinho para perto de Gia.

— Então o papai já acha que sabe o que é, hein? Meu palpite é de que ele pense que é um menino. A maioria dos pais pensam assim.

Gia ficou atordoada.

— Ele não é... ele pensa que é...

Tentei ajudá-la.

— Não sou o... ãh... não acho que é...

A técnica devia ser acostumada com pessoas atordoadas naquela sala.

— É o seguinte. Não vou contar a vocês o que vão ter se eu conseguir ver, mas vou anotar no prontuário para que possam ligar para o consultório quando resolverem descobrir.

Gia soltou o ar audivelmente.

— Certo. É. Que ótimo.

— Só vou desamarrar sua camisola e puxá-la para cima para alcançar sua barriga, e talvez precisemos abaixar um pouquinho sua calça.

— Ok.

Gia apertou minha mão conforme a técnica a preparou. Eu devia ser doente, porque meu pau latejou ao ver a pele macia de sua barriga. Aparentemente, era óbvio que estávamos em uma consulta médica e não em um filme pornô. A técnica abaixou a legging de Gia até acima do osso púbico, e meus olhos ficaram grudados na pele bronzeada.

Caralho. Quero corromper uma mãe.

A técnica ergueu um tubo de alguma coisa.

— Isto pode ser meio geladinho. — Então ela apertou um tipo de gel em toda a barriga de Gia.

Deixe que eu cuido disso para você. Meu lubrificante vai ser bom e quente.

Balancei a cabeça para não pensar nisso.

Não ajudou em nada.

A técnica puxou um monitor sobre rodas para próximo da maca e o posicionou para que nós três conseguíssemos ver. Eu fiquei do lado oposto, perto da cabeça de Gia, então tínhamos a mesma visão.

No minuto em que ela tocou o sensor na barriga de Gia, a máquina fez um som alto. A técnica olhou para a tela e ajustou no botão.

— O coração do seu bebê está batendo forte.

Gia e eu encarávamos a tela.

— Vou fazer um tour rápido pela anatomia do bebê para poderem aproveitar enquanto tiro as medidas e fotos de que preciso. — A técnica apontou para o que parecia ser um cordão de pérolas. — Esta é a coluna do seu bebê.

Ela mexeu o sensor um pouco para a esquerda com uma mão e apontou para a tela com a outra. A imagem não era nítida e era preta e branca, mas consegui identificar o que ela iria mostrar em seguida antes até de ela dizer.

— Cabeça. — Delineou o que era, claramente, um crânio, então traçou o perfil do bebê. — Nariz. Lábios.

Puta merda. Realmente conseguia ver o perfil do rosto de um bebê. Apesar de parecer mais um alien nadando do que um bebê, de onde eu estava olhando. Mas ali estava, uma pessoa, dentro de Gia, com seu próprio coração batendo e já com um perfil. A técnica sorriu e mexeu bastante o sensor em círculos enquanto olhava para a tela.

— Você tem um bebê bem ativo. Está virando bastante.

Logo que ela disse isso, algo apareceu com clareza.

— Isso é uma mão? — Gia perguntou.

— Com certeza.

— Uau.

— Se optar por fazer um ultrassom 3D com mais tempo de gestação, as fotos vão ficar bem nítidas. Mas, na verdade, está presenciando um grande show hoje, considerando que está apenas de catorze semanas.

Hipnotizado pela tela, eu tinha me esquecido totalmente da barriga de Gia, e percebi que, pela primeira vez, estava realmente empolgado com a gravidez. Mal podia esperar para conhecer o garotinho.

Ok, então talvez eu achasse *mesmo* que era um menino.

Continuei encarando, hipnotizado. Vi dedos das mãos se movimentarem, dedos dos pés, lábios, um pescoço comprido e aquilo era...

Minha empolgação deve ter me deixado sem noção. Apontei para o que pensei ser um pênis.

— Aquilo é o...

A técnica deu risada.

— Não. Na verdade, é o pé.

Gia havia virado a cabeça e estava me observando em vez de olhar a tela. Seu rosto brilhava e ela estava muito linda. Sem pensar, me inclinei e beijei sua testa.

— Ok. Então talvez eu pense que pode ser menino.

A técnica terminou de examinar a barriga de Gia e, então, imprimiu algumas fotos.

— Primeiras fotos de geladeira, mamãe — ela disse, entregando-as a Gia. — Não posso dar nenhum resultado nem nada, mas parece que está tudo ótimo. Por que não se veste, e eu vou chamar a enfermeira para responder qualquer pergunta que você possa ter, já que não tem consulta com o médico hoje? — Ela entregou um monte de papel-toalha para Gia. — Para limpar o gel.

— Certo. Obrigada.

A técnica nos deixou sozinhos na sala, e Gia secou algumas lágrimas, então começou a limpar a barriga. Peguei os papéis-toalha de sua mão e limpei tudo. Parecia perfeitamente natural fazê-lo, porém, depois de ter feito isso, vi que Gia estava me olhando de um jeito engraçado.

— Eu poderia ter limpado.

Joguei os papéis-toalha no lixo e, quando me virei de volta, Gia estava sentada na maca. Sua camisola, que tinha sido desamarrada e puxada para cima, havia caído. Ela estava com um sutiã preto de renda, e seus peitos estavam, praticamente, pulando para fora. Gia seguiu onde meus olhos estavam grudados e olhou para baixo.

— Já ganhei dois quilos e meio, e parece que tudo foi para os meus peitos.

Engoli em seco.

— Definitivamente, a gravidez combina com você.

Ela colocou a mão na barriga.

— Não estou ansiosa para ficar gorda.

Aparentemente, seus peitos inchados me fizeram delirar. Porque só de pensar em Gia curvilínea com uma barriga grande e redonda e um pouco de balanço para seus peitos durinhos, na verdade, estava me excitando no consultório médico.

— Você vai ficar sexy pra caralho grávida.

Ela pensou que eu estivesse tentando fazê-la se sentir melhor. Levantando-se da maca, apontou para a cadeira atrás de mim.

— Vai ter que continuar mentindo para mim quando eu começar a andar rebolando. Pode me dar minha camiseta?

Embora sua camisola estivesse totalmente aberta, Gia se virou de costas para mim para vestir a camiseta. Normalmente, não era modesta quanto ao seu corpo, então percebi que ela realmente não se achava atraente grávida.

Uma batida na porta soou antes de eu conseguir falar o que achava. A enfermeira entrou e estendeu a mão para nós dois.

— Sou Jessica Abbot. Vou ver vocês de vez em quando ao longo da sua gestação. Geralmente será depois de um ultrassom ou ligando para falar os resultados de exames. Só dei uma olhada rápida no ultrassom e todas as medidas estão de acordo com a data prevista que dissemos originalmente. Parece que seu bebê está feliz e saudável. Tem alguma pergunta para mim hoje, sobre o ultrassom ou outra coisa?

Gia balançou a cabeça.

— Não, acho que não.

— Ok. Bem, pode continuar com suas atividades normais de quando não estava grávida. Trabalho, sono, sexo... tudo normal.

Gia olhou para mim e, então, para a enfermeira.

— É normal que a gravidez... afete a libido?

— É. Bastante. Muitas mulheres sentem uma diminuição no desejo sexual durante a gestação. Normalmente, acontece no primeiro trimestre e, então, volta com força no último.

— Oh.

Olhei para Gia. Seu rosto estava ficando cor-de-rosa. Ela estava com vergonha de perguntar alguma coisa... talvez porque eu estivesse ao seu lado. Apontei para a porta.

— Quer que eu dê um minuto a vocês para conversarem?

Gia balançou a cabeça e respirou fundo, depois se virou para a enfermeira e declarou:

— Acho que estou com o problema oposto.

A enfermeira sorriu.

— Oh. Desculpe. Interpretei sua pergunta de forma errada. Sim, é normal ter um aumento no apetite sexual. A experiência de cada mulher é diferente em cada gestação, e algumas têm um aumento e uma oscilação no desejo sexual, enquanto outras podem não sentir desejo durante toda a gravidez. Mas você é jovem e saudável, então não há motivo para não aproveitar se o desejo for maior do que o normal.

Caralho. Gia acabou de falar para essa mulher que estava com tesão. O. Tempo. Todo.

— Então... pode *qualquer* tipo de sexo? Não vou machucar o bebê?

Aonde ela está querendo chegar?

— Contanto que não esteja se desafiando muito fisicamente, sim. Seu parceiro não vai machucar o bebê, se é esse o seu medo. — Ela olhou para mim e depois se voltou para Gia. — Na verdade, é uma preocupação comum entre casais. Então fico feliz que esteja perguntando, já que está pensando nisso.

Gia mordeu o lábio inferior. Seu rosto rosado ficou vermelho brilhante agora.

— E quanto a sexo... sem parceiro? — Ela apontou entre nós dois. — Nós não somos... e eu queria ter perguntado ao meu médico na última consulta, mas ele é homem e mais velho... e eu gostaria de usar um...

Enquanto eu estava totalmente perdido em relação aonde Gia queria chegar, aparentemente, o código secreto em que ela estava falando fez sentido para a enfermeira.

— *Oh*. Desculpe. Sim, com certeza. É seguro usar vibrador ou qualquer outro brinquedo que use normalmente. Não há nenhum problema. — A mulher enfiou a mão no bolso e pegou um cartão de visita. — Entendo perfeitamente por que pode ser difícil perguntar isso para o dr. Daniels. Ele é um médico maravilhoso, mas eu entendo. Por favor... me ligue quando quiser falar sobre qualquer coisa.

As duas conversaram por mais alguns minutos, mas eu não ouvi uma porra de uma palavra. Meu cérebro estava completamente travado no fato de que Gia estava com tesão e prestes a voltar para casa e usar o vibrador.

CAPÍTULO 23

Gia

— Está tudo bem?

Rush não tinha falado nada desde que saímos do consultório médico, e já estávamos na metade do caminho para casa.

— Tudo.

— Surtou por ter ido comigo? Desculpe se foi um pedido extremo.

— Não. Gostei de ter me pedido.

Ver os nós dos seus dedos ficarem brancos pela força com que segurava o volante e ouvir suas respostas curtas não me deu a sensação de que ele *gostou* de ir.

Encarei as fotos do ultrassom e tentei me convencer de que estava paranoica e que não havia nada de errado. No entanto, senti que cometera um grande erro me apoiando em Rush. Era pedir muito para qualquer um, e eu realmente precisava aprender a andar com meus próprios pés. Nas últimas semanas, estivera pesando os prós e contras da proposta de Rush em me ajudar, de ficar na casa dele até depois que o bebê nascesse. Hoje percebi que não era uma boa ideia. Ele tinha um coração enorme, e eu acreditava que sua proposta era sincera, mas não era justo sobrecarregar alguém com meus problemas. Eu precisava deixá-lo livre. Por mais que esse pensamento me dilacerasse, eu sabia que era a coisa certa a fazer. Como uma ferida coberta que dói quando encosta, assim que decidira que era hora de arrancar o curativo, pensei que seria melhor fazer isso de uma vez. Então, quando chegamos à minha casa, respirei fundo e me virei para encarar Rush.

— Estive pensando bastante ultimamente. E, apesar de sua proposta ser extremamente generosa, não vou ficar aqui depois que o verão acabar.

Rush estivera olhando para a frente pela janela depois de estacionar e, finalmente, virou-se para mim.

— O quê? Por quê?

— Preciso fazer isto sozinha, Rush. Se ficar aqui, só vou continuar me apoiando em você, e não é justo com nenhum de nós.

Ele olhou de um lado a outro entre os meus olhos.

— Eu quero que se apoie em mim.

Toquei seu braço.

— Sei que quer. Porque é um bom homem. Mas só vai dificultar mais ainda quando tiver que ir embora em algum momento. E vou *impedir* que siga em frente. Veja o que aconteceu naquela noite, quando tentou ficar com outra mulher. Você é o homem mais leal que já conheci. Agora percebi que não vai virar a página se eu ficar aqui, apesar de eu querer. E, sinceramente, eu também não vou. — Senti lágrimas se acumulando nos meus olhos. — Então acho que chegou a hora. Às vezes, é preciso deixar ir o que você nunca teve realmente.

Rush baixou a cabeça com os olhos fechados, então usei a oportunidade para sair do carro antes que ele me visse desabar.

— Obrigada por me levar hoje, Rush.

Cheguei até a porta contendo minhas emoções, contudo, quando tentei colocar a chave na fechadura, as lágrimas não derramadas tinham embaçado minha visão, e derrubei as chaves no chão. Me abaixei, mas uma mão grande as pegou antes de eu conseguir fazê-lo.

A voz de Rush estava logo atrás de mim quando me levantei, porém não consegui me virar.

— Sou um idiota — ele disse com a voz baixa e embargada.

Isso fez minhas lágrimas caírem mais rapidamente. Continuei olhando para a porta.

— Não. Não é. Eu sou a idiota.

— Você falou que sou o homem mais leal que já conheceu. Esse é o meu maior medo: que eu não consiga atender suas expectativas. Essa parte de mim é exatamente igual ao meu pai. Você me enxerga do jeito que quer me enxergar. Não como um homem que transa com uma dúzia de mulheres diferentes a cada verão e nunca se preocupou se poderia magoá-las ao ir embora na manhã seguinte.

Me virei e encontrei lágrimas nos olhos de Rush também. Erguendo a mão, sequei uma bochecha com o polegar, depois a outra.

— Elas eram adultas. Você não lhes prometeu nada nem as forçou. Lealdade é jurar a verdade a si mesmo e a outros. Sempre foi verdadeiro quanto ao que queria delas. Mas o que me deu também é a sua verdade, e é por você ser tão leal que eu tenho que me afastar. — Coloquei minha mão sobre seu coração. — Jurou me apoiar. E, se eu ficar, você vai me apoiar. Porque sua lealdade é inabalável. É por isso que tenho que ir, porque sua lealdade não vai deixá-lo ser a pessoa que se afasta.

Rush olhou para baixo e respirou fundo algumas vezes. Eu sabia que não era fácil me mostrar o quanto ele estava vulnerável, então não insisti. Quando ele olhou de volta para cima, encarou meus olhos diretamente.

— Você sempre teve.

— Sua lealdade?

Ele balançou a cabeça.

— Você falou que, às vezes, *é preciso deixar ir o que você nunca teve realmente*. Teve meu amor desde o primeiro dia. Teve *a mim* desde o primeiro dia. Eu só era um covarde de merda para admitir.

Meu coração começou a bater mais rápido. Tentei impedi-lo, temendo me permitir ter esperanças por medo de que ele estivesse dizendo algo diferente do que eu queria pensar que significava. Mas, no meu peito, trovejava como um trem em fuga.

Rush segurou minhas bochechas.

— Gia Mirabelli, sou tão apaixonado pra caralho por você que não consigo pensar direito. Não tem como eu deixar você ir embora. Nem desta casa. Nem do The Heights. Nem da minha vida. Me assusta pra cacete, mas percebi hoje, observando aquele menininho na tela, que não estou apenas apaixonado por você. Já estou apaixonado pelo pequeno alien que está crescendo dentro de você. Eu quero tudo. Quero as bonecas zoadas nos meus armários. Quero segurar seu cabelo para trás quando estiver vomitando suas tripas. Quero comer Chunky Monkey com você direto do pote enquanto estamos deitados na cama nus às duas da manhã. E, definitivamente, bem definitivamente, quero ser eu a cuidar de você quando estiver com o apetite sexual aumentado.

Lágrimas escorreram pelo meu rosto. De todas as coisas que ele acabara de jurar, por algum motivo idiota, fiquei focada no sorvete. Talvez porque, lá no fundo, eu já soubesse que ele queria segurar meu cabelo e cuidar de mim, porém achei que ele estivesse doido por pensar que iria me querer conforme os meses passassem.

— Estarei grande e gorda de tanto Chunky Monkey.

Ele se aproximou e passou a mão pela curva do meu quadril.

— Manda ver. Fiquei imaginando você uns vinte quilos mais pesada e mais redonda enquanto me masturbava nos últimos dias. Talvez a mantenha assim depois da gravidez.

Dei risada, porém, por mais louco que ele soasse, eu sabia que estava me dizendo a verdade.

— Acho que você é meio maluco.

Seu rosto lindo ficou sério de novo.

— Desculpe por tê-la afastado e a feito se sentir mal. Mas cansei de ser covarde. Quero você apesar de todos os meus medos que não têm nada a ver com você e apesar do fato de você, provavelmente, merecer alguém melhor do que eu. Por favor, me perdoe, e me diga que vai ficar aqui e comigo. *Ficar* comigo de verdade desta vez.

Eu não precisava pensar na resposta. Embora talvez devesse tê-lo alertado que minha resposta seria mais do que apenas verbal. Pulei nos braços de Rush, fazendo-o cambalear alguns passos para trás e quase cair da varanda.

— Sim! Sim! — Dei um beijo em seus dentes quando ele abriu a boca para rir.

Balançando a cabeça, ele disse:

— Podemos entrar agora? Acho que é hora de selar o acordo deste relacionamento.

— O que há de errado com você?

Olhei para o meu reflexo no espelho do banheiro. Tinha falado para Rush ficar à vontade e me trancado no banheiro para controlar meu nervosismo.

Já tinha ficado com esse homem. Ele já havia visto meu corpo nu e feito oral em mim. E nem tinham se passado dez minutos que ele confessara seu amor por mim e pelo bebê de outro homem. Ainda assim, eu estava literalmente tremendo. Escovei os dentes, enxaguei a boca e encarei meu reflexo por mais alguns minutos.

— Ele disse que te ama. Então, o que está esperando?

Uma batida suave soou na porta.

— Está tudo bem aí dentro?

— Está. Já vou sair.

Dez minutos depois, quando eu ainda estava lá dentro tentando obrigar minhas pernas a saírem do banheiro, houve outra batida na porta.

— Gia?

Parecia que ele estava bem atrás da porta. Me aproximei e apoiei a cabeça no meu lado da porta.

— Sim.

— Também estou nervoso. Se é que ajuda.

Meus ombros caíram.

— Está?

— Estou. Você me assusta pra caralho.

Eu sorri, mas ainda não abri a porta.

— Por que estamos com tanto medo um do outro agora, Rush?

— Porque, quando você finalmente aceita que encontrou *a pessoa*, é aterrorizadora a possibilidade de perdê-la e nunca mais existir outra.

Acho que meu coração inchou no meu peito.

— Ah, meu Deus. Essa é a coisa mais romântica que já ouvi alguém dizer.

— Ah, é? — ele perguntou. — Então, venha aqui para fora e me deixe *fazer* coisas românticas com você, linda.

Respirando fundo, destranquei a porta e a abri. Seu sorriso enfraqueceu minhas pernas conforme ele estendeu a mão para mim. Colocar minha mão na dele foi grandioso, como se estivesse entregando meu coração. Rush estava sendo tão fofo, tão aberto, e ainda assim nada disso me fazia relaxar como quando ele puxou bruscamente minha mão e me apertou forte contra ele. A rápida brutalidade o fez parecer meu Rush de novo. *Meu Rush*.

Pressionada nele, ele levou minhas mãos para trás das minhas costas e as segurou ali com uma mão. Sua outra mão agarrou minha nuca, e sua boca encontrou a minha.

Dei um gritinho entre nossos lábios unidos quando Rush me pegou no colo e me carregou para a cama. De alguma forma, conseguimos não parar de beijar enquanto ele me deitou e subiu em cima de mim. Todo o nervosismo que acabara de sentir há alguns minutos foi eliminado pelo desejo carnal por esse homem. O beijo que havia começado morno e delicado, rapidamente, esquentou e ficou selvagem. Rush usou um joelho para separar minhas pernas e, então, abaixou o quadril. A sensação do seu pau duro pressionando meu centro me fez gemer. Mal podia esperar para ele entrar em mim.

Sentindo minha necessidade, Rush interrompeu o beijo e se afastou. Eu estava meio tonta. Sem parar de me olhar, ele tirou a camisa e, depois, tirou a minha por cima da cabeça. Sua língua varreu seu lábio inferior conforme ele olhou para o meu sutiã. Quando seu olhar retornou para encontrar o meu, ele engoliu em seco antes de falar.

— Precisa que seja gentil, querida?

Balancei a cabeça.

Um sorriso malicioso se abriu em seu rosto.

— Ainda bem.

Rush tirou o resto das nossas roupas tão rápido que pareceu que uma de suas mãos me despiu e a outra arrancou suas calças. Voltando a subir em mim, ele esfregou o pau para cima e para baixo entre minhas pernas e, então, pressionou com força no meu clitóris. Pensei que eu fosse gozar apenas com a fricção. O brilho em seus olhos me disse que ele sabia exatamente o que estava fazendo comigo. Mas os dois poderiam fazer seu jogo. Abri as pernas o máximo que consegui e deslizei a mão para baixo entre nós a fim de segurá-lo. Percebendo que minha mão não conseguia agarrá-lo por completo, fiquei grata pelo tanto que esse homem me excitava, porque eu estava pronta para ele inteiro.

Nossos olhos estavam travados quando ele se empurrou para dentro. Balançou o quadril, facilitando para que seu pau duro e grosso entrasse e saísse algumas vezes. Arfei quando ele se abaixou e afundou em mim.

Rush se enrijeceu, e senti seu corpo começar a tremer.

— Porra, Gia. *Porra*. É aqui que eu queria estar desde que te conheci. Bem fundo dentro de você, exatamente como você está dentro de mim.

Ele tomou minha boca com o beijo mais lindo enquanto deslizava para dentro e para fora, depois voltou a me observar. O verde dos seus olhos escureceu para quase cinza conforme suas investidas se tornaram cada vez mais poderosas. Eu já tinha feito sexo, mas nunca soube, até aquele instante, que nunca havia feito amor. Nossos corpos se tornaram um, porém eram nossos corações e nossas almas se conectando que faziam o ato ir muito além do físico. Todo o resto do mundo parou de existir, exceto nós.

A mandíbula de Rush se apertou e ele rosnou:

— Quero preencher essa boceta deliciosa muitas vezes, todos os dias.

Já era. Qualquer restinho de controle que eu tinha foi totalmente aniquilado ao ouvir o desespero na voz dele. Ondas começaram a se formar. Meu corpo inteiro murmurava com desejo. Lágrimas de alegria se acumulavam nos meus olhos. Rush estendeu o braço para baixo e ergueu uma das minhas coxas no ar, permitindo que entrasse ainda mais fundo. Gemi conforme meu orgasmo me percorreu, e Rush respondeu me fodendo cada vez mais forte. Ele rugiu ao investir uma última vez e se enraizar o mais profundo que conseguia antes de gozar dentro de mim.

Depois, ele me beijou delicadamente e continuou entrando e saindo, me dizendo o quanto eu era linda e o quanto me amava. Percebi que não havia dito para ele. Apesar de ter certeza de que ele sabia, era hora.

— Rush? — sussurrei.

— Hummm?

Ele trilhou um caminho de beijos suaves da minha orelha até o pescoço, então subiu e foi até o meu queixo antes de nossos lábios se encontrarem.

— Também amo você.

Seu sorriso se abriu de orelha a orelha.

— Ah, que bom. Porque eu também amo. Mas não só você. — Ele desceu pelo meu corpo e deu um beijo na minha barriga. — Porque eu também amo você, vocês dois.

CAPÍTULO 24

Rush

Eu amava explorá-la quando ela estava dormindo profundamente.

Conforme eu circulava meu dedo indicador em volta do seu mamilo, jurava que sua aréola parecia maior e mais escura do que no dia anterior. Seu corpo estava mudando a cada dia, como uma flor florescendo lentamente. E caralho... eu amava muito isso. Amava muito *Gia*.

Comprometer-se assim com alguém era assustador pra cacete, porém eu não faria de outra forma. Aceitar meus sentimentos foi a melhor coisa que já fiz. Era tão bom não ter mais que lutar contra eles. O medo não havia desaparecido. A diferença era que eu estava permitindo que ele ficasse ali, mandando-o se foder enquanto eu vivia minha vida e amava essa mulher. Por mais que estivesse mais assustado do que nunca na vida, nunca estivera mais feliz. E isso superava todo o resto.

Deslizei a mão lentamente para baixo por sua barriga e enfiei meus dedos nela. Ela estava molhada. O apetite sexual de Gia era voraz, mesmo durante o sono.

Seu corpo estremeceu e, então, ela estendeu o braço até mim.

— Ei... está tentando conseguir alguma coisa?

Devagar, tirei os dedos de dentro dela.

— Estou. Vai me dar?

Ela subiu em mim, me beijando intensamente nos lábios.

— Pensei que estivesse cansado de mim depois de todas as vezes que fizemos ontem à noite.

— Claro que não. — Apertei sua bunda. — Sabia que existe uma coisa chamada pregnofilia?

— Ah, meu Deus... o quê?

— É um fetiche. Pesquisei no google "não consigo me controlar com uma grávida" e apareceu isso. Acho que devo ser pregnófilo.

Ela estava gargalhando.

— Primeiro, pensei que estivesse falando por falar, mas estou começando a acreditar.

Peguei a mão dela e a coloquei no meu pau rígido.

— Acredite *nisto*.

Gia montou em mim e deslizou meu pau para dentro de sua boceta molhada. A sensação de me enterrar em sua boceta quente era diferente de tudo. Eu realmente estava no que imaginava ser o paraíso.

Ela começou a rebolar sobre mim. Eu amava o sexo com ela em qualquer posição, porém, quando me cavalgava, sempre parecia que eu estava ainda mais fundo nela. Amava conseguir ver seus peitos balançarem e colocar minhas mãos em diferentes partes do seu corpo, explorando seu rosto, quadris, bunda. Quase me fazia sentir culpado por ficar deitado enquanto ela fazia todo o trabalho, exceto pelo fato de que ela realmente parecia amar estar por cima, parecia amar estar no controle.

Sabe o que mais eu amava pra caramba? Poder transar com ela sem camisinha. Antes dela, eu nunca tinha arriscado com ninguém – sempre me protegia. Fodê-la sem nada era quase *bom demais*, e eu precisava, constantemente, tentar me impedir de gozar muito cedo. Ainda bem que Gia tinha tanto tesão que nunca demorava muito para gozar.

Aquela vez não foi exceção. Conforme ela descia e subia em mim, pulsando em volta do meu pau, gozei dentro dela até não sobrar mais nada.

Gia caiu no meu peito.

— Como fui ter tanta sorte?

Acariciei seu cabelo por um tempo antes de dizer:

— Eu que sou o sortudo.

Ficamos ali deitados em silêncio. Não sei o que me fez dizer em seguida.

— Sinto pena daquele desgraçado do The Heights, quem quer que ele seja, porque não vai saber o que está perdendo aqui. — Expirei. — Foda-se.

Não sinto pena dele. Fico feliz que ele tenha vazado.

Ela deitou a cabeça em mim e ficou quieta por um tempo, então falou:

— Queria que este bebê fosse seu. Daria qualquer coisa para isso.

Suas palavras apertaram meu peito. Claro que eu queria que esse fosse o caso. Mas remoer isso era inútil. Nunca poderíamos mudar o fato de não ser meu.

— Também queria isso, por motivos de ego, mas, sabe... ele nunca vai sentir que não tem um pai. Sempre estarei lá para ele... e para você. No fim, não vai fazer diferença quem foi o doador do esperma. — Abracei-a mais forte. — As coisas são do jeito que eram para ser. Você não conhece pessoas sem querer na vida. Era para esse cara ir embora, e era para você me encontrar. Está tudo escrito nas estrelas.

Ela ergueu a cabeça a fim de encontrar meus olhos.

— Não sabia que você era tão filósofo.

— Já *conheceu* minha mãe?

Ela deu risada.

— Verdade.

Quando seu sorriso desapareceu, perguntei:

— O que foi?

Ela passou a mão na barriga.

— Em breve, não vamos conseguir esconder isto. Como vou explicar às pessoas do trabalho?

— Não precisa explicar merda nenhuma a elas. Não lhes deve uma explicação.

— Mas quero fazer isso antes que comecem a falar. Sinto que preciso simplesmente falar tudo de uma vez e estar no controle quando descobrirem antes de começarem a fofocar sobre o meu tamanho.

Não queria que isso a estressasse e jurei para mim mesmo que cuidaria de tudo.

— Não se preocupe com nada. Vou cuidar disso.

No dia seguinte no The Heights, convoquei uma reunião obrigatória de equipe logo depois de fechar. Queria todos lá para que não precisasse explicar duas vezes. Se os funcionários não estivessem trabalhando, ainda assim tinham sido chamados e pagos pela hora.

Fiz especificamente durante a noite de folga de Gia, para ela não precisar lidar com isso.

Todos se reuniram em volta de mim. Tinha escolhido a área do bar no andar de baixo como o local da reunião informal. Definitivamente, as pessoas estavam confusas. Acho que devem ter pensado que eu iria fechar o The Heights, porque eu não era do tipo de convocar reunião.

Quando parecia que todos estavam ali, pigarreei para chamar sua atenção.

— Serei breve. Sei que todos estão cansados, e está tarde, então não vou segurá-los por um segundo a mais do que preciso. — Respirei fundo. — Sabem que, normalmente, não falo sobre minha vida pessoal, porque, geralmente, não tem nada a ver com os negócios, mas, porque Gia trabalha aqui, não quero que ela precise se preocupar com as pessoas falando pelas costas dela. — Inspirei antes de contar. — Ela e eu estamos juntos. Ela é minha namorada. — Pausei. — Eu a amo. E vamos ter um bebê. Se tiverem alguma pergunta ou preocupação com essas novidades, podem falar comigo. Mas não quero ninguém deixando-a desconfortável por causa disso ou tratando-a de forma diferente... a menos que seja para facilitar o trabalho dela. — Assenti uma vez. — Não tenho mais nada a dizer. Tenham uma boa noite.

Me afastei, deixando para trás os murmúrios e sussurros dos meus funcionários. Ninguém teve a chance de me parabenizar ou sequer de responder. Por mim, tudo bem.

Passos largos me seguiram. Eu sabia exatamente quem era antes de sua voz grave soar por trás de mim.

— Ei. Ei. Ei. Pensa que vai fazer um anúncio desse e não vai precisar lidar comigo? Está redondamente enganado.

Conforme Oak me seguiu para minha sala, não consegui evitar o sorriso no meu rosto porque sabia que ele iria gostar disso.

Me virei para encará-lo e suspirei.

— Desculpe não ter te contado primeiro. Tentei te encontrar mais cedo, mas você estava ocupado apartando aquela briga e, então, a noite passou voando.

— Isso é pra valer — Ele sorriu.

— É. É pra valer.

Oak me pegou desprevenido quando se aproximou e me deu um enorme abraço apertado.

— Não poderia estar mais feliz por você, cara. De quanto tempo ela está?

Vasculhei meu cérebro por uma resposta que esperava que fizesse sentido.

— Uns meses...

Uns bons meses.

— Então vocês estão juntos há um tempo. Você me enganou. Mas explica bastante sobre seu comportamento maluco.

— Estivemos sendo discretos até pensarmos em tudo.

Ele colocou a mão no meu ombro.

— A paternidade é um presente. Estou feliz por ter a chance de ter essa experiência. Estava preocupado que você não fosse tê-la por ser teimoso.

— Não era uma coisa que pensava que queria, Oak. Mas acho que, quando se encontra a pessoa certa, isso muda tudo.

— Com certeza. — Ele só ficava balançando a cabeça e sorrindo. — Eu sabia, desde o primeiro dia, que você e Gia acabariam juntos. Estou feliz que também enxergou isso.

Naquela noite, a caminho de casa, fui acender um cigarro. Pela primeira vez, realmente parei e pensei que precisava parar por causa do bebê. Não poderia fumar perto dele e nem mais perto de Gia. Jogando o cigarro ainda apagado pela janela, resolvi tentar de verdade parar desta vez.

Então peguei o celular e liguei para Gia. Quando ela atendeu, eu disse:

— Sabe aquela situação do trabalho com a qual estava preocupada? Cuidei de tudo.

Algumas noites depois, Gia e eu saímos para comer quando perguntei:

— Se importa se passarmos na minha casa rapidinho?

— Não, nem um pouco. Sabe que amo sua casa.

Não a tinha convidado para morar comigo. Ficávamos juntos toda noite, às vezes na minha casa, às vezes na dela. Mas eu não queria apressar as coisas. Ainda assim, queria que ela soubesse que eu estava totalmente comprometido, então passei uma boa parte daquela semana preparando uma surpresinha.

Quando entramos, levei-a na direção do quarto de hóspedes.

— Quero te mostrar uma coisa.

Ela pareceu desconfiada ao sorrir.

— Certo...

Quando abri a porta, ela arfou.

— Não pode ser!

— Passei a semana transformando o quarto de hóspedes em um quarto de bebê. Gostou?

Ela deu uma olhada no quarto recém-decorado. Minha mãe pintou lua e estrelas na parede. Eu montei um berço branco e o quarto inteiro foi feito em azul e cinza para combinar com a parede. Havia uma cômoda com trocador no canto, totalmente estocada com suprimentos. O quarto estava pronto para ser usado.

Ela andou pelo quarto, absorvendo tudo.

— Eu... eu amei. Você fez tudo sozinho?

— Posso ter tido uma ajudinha da minha mãe. Ela pintou esta parede, na verdade. Esteve por aqui a semana inteira, e você nem sabia. Mas eu escolhi o enxoval e as outras coisas. Pensei que fica bem neutro com o cinza misturado... só no caso de ele acabar sendo menina.

Ela estava basicamente sem fala.

— Não sei o que dizer. Esta é a coisa mais incrível que alguém já fez por mim.

Beijando-a na testa, eu disse:

— Não quero que pense que estou te pressionando para se mudar. Não é disso que se trata. Este quarto é para o bebê se você estiver morando comigo ou em outro lugar. Você que escolhe. Mas imaginei que ele irá precisar de um lugar para dormir quando estiver aqui.

O que eu mais queria era que Gia se mudasse para a minha casa. Mas ela é muito independente, e eu não queria pressioná-la. Havia mudanças suficientes acontecendo. Ao mesmo tempo, queria que soubesse que minha casa era sua casa.

Gia foi até o canto do quarto e pegou um urso de pelúcia que estava sentado na cadeira de balanço. Abraçou-o e me surpreendeu ao começar a chorar.

Ela secou os olhos.

— É estranho eu simplesmente não sentir que mereço tudo isso?

— Por que não?

— Há apenas algumas semanas, senti que minha vida tinha acabado, como se fosse ter que começar do zero e encontrar meu caminho de volta. Então, você me contou que me amava e que aceitaria meu bebê e eu. E simplesmente... virou meu mundo de cabeça para baixo de novo. Aceitar meu filho como seu foi um comprometimento enorme. Sinto que está me dando tanto, sacrificando tanta coisa, e tudo o que tenho para te dar é o meu amor.

Envolvendo seu rosto com as mãos, olhei em seus olhos.

— É tudo de que preciso. É algo que apenas algumas pessoas realmente me deram nesta vida. Você subestima o quanto isso significa para mim. — Levei-a até a cadeira de balanço e a coloquei no meu colo. — Nunca se sabe quando haverá uma reviravolta na vida, Gia, ou o que vai acontecer. Mas eu sei que, se algo inimaginável acontecesse, você faria qualquer coisa por mim. E, quando se trata de você e este bebê... sim, é um comprometimento gigante... mas sacrifício não é a palavra certa... é uma honra.

CAPÍTULO 25

Gia

Era o terceiro vestido que eu provava em dez minutos. Tirei-o por sobre a cabeça e o joguei no chão.

Nada mais cabia em mim, porém eu estava determinada a entrar em alguma roupa minha. E precisava ser preta.

O suor estava escorrendo na minha testa quando Rush chegou no meio de minha crise de guarda-roupa.

— O que está acontecendo aqui?

— Eu deveria ter comprado uma roupa nova para esta noite. Nenhuma roupa que tenho está cabendo. Estou naquele ponto esquisito em que não estou realmente com barriga, mas só pareço gorda e não caibo em nenhuma roupa minha.

Era imprescindível ficar bonita naquela noite porque iria conhecer a família de Rush. Sei que ele não se dava bem com eles, mas não significava que eu não quisesse me arrumar.

Fiquei surpresa quando Rush me pedira para acompanhá-lo à festa de aniversário do seu irmão do qual não gosta na cidade. Por mais que estivesse curiosa para conhecer os vasos ruins — o pai e o irmão dele —, fiquei bem nervosa. Porém, ele me contou que tinha jurado para sua cunhada — aquela que eu conhecera no The Heights — que ele iria, pelo menos, comparecer.

Rush tinha uma camisa extra pendurada no meu armário de uma das últimas vezes que tínhamos saído para um restaurante chique. Ele a pegou e disse:

— Me divirta. Prove esta camisa.

— Está me zoando?

— Não. Precisa ser passada, mas a vista por um minuto. Tenho uma ideia.

Vestindo a camisa preta enorme, dei risada ao abotoá-la. Na verdade, estava no comprimento certo para ser usada como um vestido, porém estava larga demais.

Rush pegou um cinto largo e vermelho que estava pendurado no armário e o colocou na minha cintura. Puxou para cima do cinto um pouco do tecido, dobrou as mangas até a metade e ajustou o colarinho.

Fiquei parada sem saber o que dizer conforme ele ia até minha caixa de joias e pegava um colar de pérolas que pertencera à mãe do meu pai. Ergueu meu cabelo e o colocou em volta do meu pescoço.

Então, me levou até o espelho da parede.

Rush colocou as mãos nos meus ombros por trás.

— O que acha?

Na verdade, estava muito bom. Não conseguia acreditar que ele tinha feito isso — que aquela camisa realmente poderia se passar como vestido e parecer tão estilosa.

— Amei. Está perfeito. E não me faz sentir nada gorda. Nunca imaginei que você fosse estilista.

— Não sou. Só sou bem criativo em tempos de crise. — Apontou para os meus sapatos que estavam guardados na base do armário. — Aqueles saltos vermelhos que amo combinariam perfeitamente também.

Me virando, abracei seu pescoço.

— Você é tipo meu herói esta noite, sabia disso? Fico te devendo bastante coisa para depois.

— Tenho certeza de que vou adorar tirar isto ainda mais do que gostei de colocar.

Rush estava tamborilando os dedos no volante durante o trajeto de carro para a cidade. Ele com certeza parecia tenso, e era compreensível.

Coloquei a mão em seu joelho.

— Tem certeza de que quer fazer isto? Não precisamos ir. Podemos simplesmente sair para comer em algum lugar.

— Falei para a esposa do meu irmão que iria. Ela ficou me implorando por semanas. Ela é delirante, porque pensa que, de alguma forma, meu relacionamento com ele pode ser consertado. Só estou fazendo isto por ela, que sempre foi legal comigo. Mas, sinceramente, uma parte de mim quer ir só para estragar o aniversário dele, pois é muito babaca. Então é isso.

— Não precisamos ficar muito tempo, se vai te deixar chateado ficar perto deles.

— Vou ficar bem. Sou adulto. Lido com eles o tempo todo em reuniões de negócios. Algumas horas em uma festa não vão me matar.

O fato de ele não fumar mais não me passou despercebido.

— Quero que saiba que tenho muito orgulho de você por não acender um cigarro agora, porque sei o quanto realmente quer. Normalmente, estaria fumando um atrás do outro em uma situação desta.

— É. Nem vamos mencionar os cigarros, certo?

Me encolhi.

— Desculpe.

Ele olhou para mim.

— Tem outras ideias para aliviar o estresse enquanto estou dirigindo?

— Com certeza faria oral em você agora, sabe. Não me provoque.

— Não. Não vou deixar você tirar o cinto, não com minha carga preciosa. Mas posso deixar me fazer oral no banheiro da casa do meu irmão.

— Qualquer coisa para te fazer sentir melhor.

Ele ergueu uma sobrancelha.

— Fará *qualquer* coisa, é?

— Basicamente.

— É uma das coisas que amo em você, linda.

Quando chegamos em Manhattan, paramos perto da casa do irmão de Rush, então andamos alguns quarteirões até o prédio de luxo.

Um porteiro verificou nossos nomes em uma lista e nos levou para um elevador privativo que levava diretamente à cobertura.

Assim que as portas se abriram, uma onda de calor me atingiu conforme entramos na sala lotada. Passavam garçons com bandejas de petiscos e champagne. As luzes da cidade iluminavam o espaço pelas janelas enormes do teto ao chão. Havia alguém tocando um piano de cauda no fundo da sala de estar.

Várias pessoas conversavam entre si, e isso fazia tudo soar abafado. Realmente queria poder beber um drinque. Conhecer pessoas sempre me deixava um pouco nervosa, ainda mais nesse caso, por causa da tensão entre Rush, seu pai e seu irmão.

Rush foi buscar um copo de água para mim. Voltou com o copo e uma taça de champagne para si.

A loira linda da qual me lembrava do The Heights veio em nossa direção com um grande sorriso.

— Rush! Estou muito feliz por ter conseguido vir.

Ela estava usando um vestido longo preto que parecia formal demais para uma festa de aniversário, mesmo uma tão chique quanto aquela.

— É bom te ver, Lauren — ele disse.

Ela se virou para mim.

— Gia, certo? É um prazer vê-la de novo. — Ela mostrou seus dentes brancos como pérola antes de me dar uma olhada rápida. Imaginei se ela descobriu que eu estava usando uma camisa de Rush.

Dava a impressão de que Lauren tinha acabado de se bronzear artificialmente. Parecia brilhante, como se tivesse pontos de glitter por sua pele impecável. Seus cachos dourados estavam presos em um coque.

— É um prazer vê-la de novo também. — Sorri.

— Por favor, aproveitem os aperitivos e as bebidas. Mais tarde, o jantar do restaurante preferido de Elliot, La Grenouille, será servido, então guardem espaço.

Uma pessoa passou e a levou para outra roda de conversa.

Me virando para Rush, perguntei:

— Cadê seu irmão?

Ele engoliu o restante do seu champagne e procurou no salão.

— Ainda não o vi.

— Acha que ele vai ser um idiota com você?

— Não. Ele será falso e legal perto de outras pessoas. Também será gentil perto de você, porque flerta com qualquer mulher que não seja esposa dele. Basicamente, ele é babaca comigo quando ninguém está olhando. — Rush beijou minha testa. — Quer que eu pegue uns enroladinhos de salsicha ou qualquer porra que seja que estejam passando para você?

— Não. Estou tranquila. Estou meio enjoada, na verdade. Quase sem fome.

Rush pegou uma vieira enrolada em bacon de uma das bandejas e jogou na boca.

Olhei em volta.

— Deus, dá para sentir o cheiro do dinheiro, não dá?

— E da falsidade. — Rush olhou na direção do canto do salão. — Falando em falsidade, ali está o riquinho... meu irmão.

Quando meus olhos pousaram no canto para onde Rush estava apontando, meu coração pareceu parar de bater por um instante. Havia três homens conversando. Quanto mais meus olhos permaneciam em um deles, mais certeza eu tinha de que era ele.

Ele estava usando gravata-borboleta.

A cada segundo que passava encarando seu rosto, ficava cada vez mais enjoada.

Apertei os olhos, tentando meu máximo para enxergar com clareza — para ter certeza.

Oh, Deus.

Parecia que minha garganta ia se fechar.

Eu tinha quase certeza de que era... Harlan.

Harlan, que eu nunca mais veria de novo.

Harlan, que me deu o número errado depois de dormir comigo uma única noite.

Harlan, que me engravidou.

Lembranças daquela noite percorreram meu cérebro como um filme de trás para a frente. Continuei encarando seu rosto. Os mesmos olhos. O mesmo maxilar quadrado. O mesmo jeito de repartir o cabelo para o lado. Os mesmos dentes brancos perfeitos. O mesmo sorriso charmoso. Aquela risada.

Era ele.

Oh, meu Deus! É ele!

Meu coração estava martelando para fora do peito, e parecia que o salão estava girando.

Consegui emitir as palavras.

— Qual... qual daqueles é o seu irmão?

Rush sugou seu palito de dentes, então apontou para ele.

— O de gravata-borboleta.

FIM...

Por enquanto...

A história de Rush e Gia continua em Coração Rebelde.

AGRADECIMENTOS

Somos eternamente gratas a todos os blogueiros que falam entusiasmadamente sobre nossos livros. Obrigada por todo o seu trabalho árduo e por ajudar a nos apresentar aos leitores que, talvez, do contrário, nunca teriam ouvido falar de nós.

A Julie. Obrigada por sempre estar junto. Somos muito sortudas por ter sua amizade, seu apoio diário e encorajamento.

A Elaine. Uma preparadora, editora, formatadora e amiga incrível. Obrigada por sua atenção ao detalhe e por ajudar a tornar Rush e Gia o melhor que poderiam ser.

A Luna. Nossa mão-direita. Você é incrivelmente talentosa, mas, mais do que isso, é uma amiga incrível.

A Erika. Obrigada por sua amizade, seu amor e apoio. Seus olhos de águia também são bem maravilhosos.

A Sommer. Seu design para esta capa foi melhor do que poderíamos ter criado em nossa imaginação. Obrigada por capturar o olhar elegante que tanto amamos.

A Dani. Obrigada por organizar este lançamento e por sempre estar a um clique quando precisamos de você.

A nossa agente, Kimberly Brower. Estamos muito empolgadas para o ano que vem e agradecemos muito por estar conosco a cada passo do caminho. Temos muita sorte em chamá-la de amiga, além de agente.

Por último, mas não menos importante, a nossos leitores. Continuamos escrevendo por causa da sua fome por nossas histórias. Amamos surpreendê-los e torcemos para que tenham gostado deste livro tanto quanto gostamos de escrevê-lo. Como sempre, obrigada por seu entusiasmo, amor e lealdade. Valorizamos vocês!

Com muito amor,

Penelope e Vi

Editora
Charme